MYTHOLOGIE DE LA FEMME
DANS L'ANCIENNE FRANCE

DU MÊME AUTEUR

AUX MÊMES ÉDITIONS

Le Tribunal de l'impuissance
Virilité et défaillances conjugales
dans l'Ancienne France
Éd. du Seuil, coll. «L'univers historique», 1979

Le Mythe de la procréation à l'âge baroque
Pauvert, 1977; Éd. du Seuil, coll. «Points-Histoire», 1981

CHEZ D'AUTRES ÉDITEURS

Gabrielle Perreau, femme adultère
roman, Grasset, 1981

PIERRE DARMON

MYTHOLOGIE
DE LA FEMME
DANS L'ANCIENNE FRANCE
XVIe-XVIIIe SIÈCLE

ÉDITIONS DU SEUIL
27, rue Jacob, Paris VIe

ISBN 2-02-006414-6

© ÉDITIONS DU SEUIL, MARS 1983

En 1617, paraissait un livre étrange au titre déjà bien déconcertant : *Alphabet de l'imperfection et malice des femmes.* L'auteur anonyme y déployait une misogynie viscérale ordonnée autour de vingt-cinq grands thèmes correspondant chacun à l'une des lettres de l'alphabet : *Advissimum animal,* animal très avide ; *Bestiale baratrum,* abîme de bêtise ; *Concupiscentia carnis,* concupiscence de la chair ; *Duellum damnosum,* duel dommageable ; *Estuans aestans,* été brûlant...

Au terme de cette lecture édifiante, il fallait bien se rendre à l'évidence : la terre n'est peuplée que de folles, de furies et de perverses. Dès le début, une formule gravée en première page et malicieusement tirée de l'Ecclésiaste mettait le lecteur en garde : « De mil hommes j'en ai trouvé un bon, et de toutes les femmes, pas une. » En vérité, l'auteur n'accordait sa grâce qu'à une seule femme, la Sainte Vierge. Une seconde femme devait, dans un autre de ses livres, partager cet honneur : la sienne.

Et pourtant, en dépit des apparences, cet *Alphabet* présente d'indéniables qualités littéraires. Le style ne manque ni de beauté ni de lyrisme, et l'*Épître dédicatoire à la plus mauvaise femme du monde* témoigne d'un talent venimeux mais réel :

7

> Femme, si ton esprit altier pouvoit connoître le sort de ta
> misère et la vanité de ta condition, tu fuirois la lumière du
> soleil, tu chercherois les ténèbres, tu entrerois dans les grotes,
> tu regretterois ta naissance et tu aurois horreur de toi même.
> Mais l'aveuglement extreme qui t'ôte cette connoissance fait
> que tu demeures dans le monde la plus imparfaite des créatures
> de l'univers, l'écume de la nature, le séminaire des malheurs,
> l'alumette du vice, la sentine d'ordure, un mal nécessaire et un
> plaisir dommageable...

Le délire culmine avec une cinglante apostrophe où
l'étymologie et l'invective se confondent dans un étrange
amalgame :

> Ce ventre putride et fétide déclare les puanteurs et les saletez
> qui sortent de ta charogne exposée et prostituée aux esclaves
> de ton impudicité. Aussi te bâtise-t-on de ce sale nom de putain
> qui est le dérivatif de *puteo* signifiant puer et sentir mauvais.

Au fil des pages nous apprenons, à grand renfort de
citations bibliques et d'anecdotes scabreuses, que la femme
est menteuse, cruelle, criminelle et ivrogne, qu'elle « aboie
comme un chien tout aussi-tôt qu'on heurte à la porte sans
reconnoître si c'est un étranger ou un domestique », que la
chaste Suzanne ne l'était point et que les vieux satyres qui
étaient censés la persécuter n'étaient en fait que des
agneaux, pauvres victimes de ses phantasmes destructeurs.

Encore l'auteur n'est-il pas à court d'imagination. Poussant l'injure dans ses derniers retranchements, il développe,
dans une sorte de fresque apocalyptique, l'image d'une
femme ravalée au rang « d'immonde araignée qui passe une
demi-journée à tirer de son ventre envenimé une frêle
tissure pour prendre les mouches ». Quant au lecteur, il
découvre épouvanté que son épouse a « un ventre pourry
et puant », des « mains crochues infectant toutes choses par
leurs attouchemens » et des « tétasses pendillantes pleines
de lait mortifere succé par des châtons ».

Au terme de son florilège, ce terroriste anonyme de la littérature misogyne fut très vite démasqué. Il s'agissait d'un certain Jacques Olivier, «licencié es loix du Droit canon». Dès l'introduction de son *Alphabet,* ce curieux docteur avait fulminé par avance contre ces «escadrons de Damarets, de Muguets et d'efféminez», qui, «pour plaire aux femmes indiscrètes», s'érigeraient en pourfendeurs impitoyables de son «innocence» et de sa «candeur zélée».

Il ne s'était guère trompé. Deux pamphlétaires se dressèrent sur-le-champ en défenseurs acharnés de la femme outragée. Le premier, un certain capitaine Vigoureux, rédigeait la même année une *Défense de la femme contre l'Alphabet de la prétendue malice et imperfection.* Le second, le chevalier de L'Escale, publiait un an plus tard *le Champion des femmes... contre un certain misogyne anonyme...* Pour couronner le tout, une voix de femme, et non des moindres, osait même s'élever au milieu de ce concert tapageur de protestations : Marguerite, reine de Valois [1], entrait en lice pour vilipender à son tour «le style de rotisseur plus que d'escrivain» de Jacques Olivier. La polémique s'envenima un peu plus avec la *Responce aux impertinences de l'aposte capitaine Vigoureux sur la défence des femmes* de Jacques Olivier et une *Réplique à l'Antimalice ou défense des femmes du Sieur Vigoureux* d'un certain La Bruyère, émule tonitruant mais défraîchi de Jacques Olivier. Huit ans plus tard, le «féministe» Honorat de Meynier consacrait encore quelques chapitres de *la Perfection des femmes...* à l'intempestif docteur, dernières flammèches d'un embrasement qui s'était éteint de lui-même, faute de combustible.

Polémique de cuistres ? Querelle d'un autre temps comme on le dit généralement avec mépris ? Peut-être. Mais est-ce bien une raison pour en rejeter l'analyse ? L'histoire des mentalités ne passe-t-elle pas nécessairement par l'étude de structures mentales aujourd'hui périmées ? Au demeurant, la discussion de fond qui roule sur l'*Alphabet* repose sur

9

des thèmes qui, exprimés différemment, se sont perpétués jusqu'à nos jours.

Étonnante, la querelle des baroques l'est à plus d'un titre. Dans un fatras insolite, l'invective et la parole évangélique font bon ménage. Pour Vigoureux, l'*Alphabet* est « un livre composé par quelque frénétique, mélancholique, voir mesme hypochondriaque, qui n'est point du genre humain » et qui écrit en « fagottant une rapsodie et assemblage de différentes pièces tirées par les cheveux [2] ».

Mais c'est le chevalier de L'Escale qui, d'une plume trempée dans le venin, s'acharne contre Jacques Olivier avec une hargne digne de son adversaire. Notre misogyne y est traité de « barbare incirconcis », de « Philistin réprouvé », de « docteur anormal », de « cabaretier », de « frelon tout juste digne de revêtir l'habit de bouffon italien », d'« enfumé », de « coq criard », de « caméléon [3] ».

Surtout, les « féministes » ont le mérite d'étayer leurs arguments des raisonnements inspirés par un sens aigu de la psychologie. A l'aube de la Renaissance, nous voici soudain aux sources lointaines de la psychanalyse. Selon eux, la prose névrotique de Jacques Olivier ne serait qu'un exutoire. « Tout son discours et ses extravagances, écrit Vigoureux, démontrent assez que ce n'est la raison qui le faict parler de la façon, ains une rage, une passion, une fureur qui le transporte [4]. » L'Escale est plus précis. Le malheureux docteur ne pourrait « dire mal de toutes les femmes à chaque page de son livre s'il ne sentoit les angoisses extrêmes du mal qu'il a pris avec telles désbordées [5] ». Ses invectives grossières ne sont que la projection de ses propres névroses : « Il n'a pas eu de quoi contenter sa paillarde, c'est pourquoi il la traite d'animal avide... Elle a cherché d'autres ouvriers que luy, de là vient qu'il la dit fausse foy... Elle se plaint de ses reproches, aussi il la nomme gosier babillard... Elle l'a esgratigné lorsqu'il la voulu battre, de là vient qu'il l'appelle hérine armée [6]... »

Étonnante, cette querelle l'est encore davantage par le mystère qui entoure nos auteurs. Qui sont donc Vigoureux

et L'Escale ? Et surtout, qui est Jacques Olivier, le for-
cené ? Cette cohorte hurlante émerge soudain du néant,
s'agite sous nos yeux, vocifère, Bible et Patrologie à
l'appui, frétille dans une pagaille indescriptible pour retomber tout aussitôt dans l'oubli et le néant originel.

Une certitude s'impose pourtant : ces scoliastes n'auraient jamais troqué la plume pour le sabre. En fait, nous
sommes sans doute au cœur de l'une de ces querelles
dogmatiques qui animaient jadis les discussions de salon
avant de s'assoupir aux premières heures de la matinée. Au
XVIIᵉ siècle, les embardées verbales, souvent spectaculaires,
ne sont pas forcément assorties d'une même agressivité de
comportement. Mais l'*Alphabet* et la querelle des baroques
qu'il suscite n'en est pas moins l'expression d'une réalité
capitale : la femme engendre des réactions de peur panique
qui débrident les imaginations et dérèglent les rapports
humains. Misogynes et « féministes » s'affrontent. Sans
doute ! Mais peut-être cherchent-ils aussi à s'exorciser des
mêmes névroses à travers leurs divergences respectives.

Ce phénomène de terreur a fait l'objet d'une étude
circonstanciée. Dans le livre qu'il consacre à *la Peur en
Occident* du XIVᵉ au XVIIIᵉ siècle, Jean Delumeau[7] passe au
crible les phobies suscitées par le « deuxième sexe ». Sentiment complexe qui s'exprime à travers une attitude
masculine « oscillant de l'attirance à la répulsion, de l'émerveillement à l'hostilité ». Il serait pourtant trop simple de
réduire la peur masculine de la femme à la hantise freu-
dienne de la castration, même si l'image de la sorcière qui
escamote les verges trouve de profondes résonances dans
l'imaginaire médiéval[8]. D'autres mécanismes ont pu jouer.
Freud lui-même soulignait que, dans la sexualité féminine,
« tout est obscur [...] et fort difficile à étudier de façon
analytique ». Dans le même esprit, Simone de Beauvoir
reconnaît que « le sexe féminin est mystérieux, caché,
tourmenté »..., et Karen Horney en fait « le sanctuaire de
l'étrange[9] ».

A travers des modes d'expression différents, l'homme du

11

XVIIᵉ siècle a strictement formulé la même idée. Jacques Olivier ne disait-il pas que la femme n'est qu'un labyrinthe composé d'une multitude de «boutiques et d'arrières boutiques», de «cabinets et d'arrières cabinets»? Et depuis l'Antiquité tous les physiologistes ne se perdent-ils pas en conjectures sur la complexité occulte des ses parties génitales dûment désignées, au XVIᵉ siècle, sous le nom de «parties secrètes»?

Décidément, ces baroques sont des gens bien modernes!

Or, la peur absolue découle de l'inconnu symbolisé par la nuit, les abysses, l'espace et la mort. Dans le discours traditionnel, toute une mythologie dérivée de ces thèmes entoure précisément la femme. Elle est insatiable comme la mer, insondable comme l'espace, mystérieuse comme la nuit et, si elle donne la vie, elle préside aussi en priorité à tous les rites funéraires. Image de l'immensité, elle engendre la claustrophobie.

En vain chercherait-on pourtant dans ce seul paradoxe l'origine de la peur ancestrale des femmes. Il existe de multiples affinités entre les extrêmes, entre les contraires, entre la polarité sexuelle et la polarité magnétique dont les manifestations successives d'attirance et d'incoercible répulsion défient la raison et la science. Les racines profondes de l'antagonisme des sexes sont enfouies dans le mystère de la Création. Peut-être est-il plus sage d'en étudier les effets que d'en rechercher les causes profondes.

Polymorphe et flamboyante durant toute la période qui va de la Renaissance au siècle des Lumières, la guerre du sexe ne présente aucun caractère de nouveauté. Le dogme de la supériorité masculine remonte à l'Antiquité. Ève et Pandore n'y font irruption que pour semer la zizanie dans un monde qui semblait voué à une sorte de perfection idyllique. Sur de telles bases, une formidable polémique s'amorce en douceur au XVIᵉ siècle. Elle dégénère avec éclat et culmine bruyamment au siècle suivant. Son enjeu: l'asservissement de la femme à travers plusieurs stratégies successives.

12

Les causes du triomphe de la misogynie viscérale dans le discours érudit des XVIe et XVIIe siècles restent énigmatiques. La diffusion de l'idéologie répressive grâce à la découverte de l'imprimerie, les retombées de la Réforme, de la Contre-Réforme et du Concile de Trente ne constituent sans doute que les aspects fragmentaires d'un phénomène de plus grande amplitude dont les contours sont mal perçus. Surtout, la violence du verbe coïncide avec l'âge d'or des grandes régentes, des éminences roses et des amazones intempestives de la Fronde. Le phénomène de rejet qu'elles suscitent n'est pas sans affinité avec la hantise xénophobe dont les manifestations s'exacerbent avec l'accession de personnes réputées « étrangères » à des postes de responsabilité.

Malgré tout, une tradition viscéralement misogyne existe depuis fort longtemps.

Yves de Chartres au XIe siècle, le *Jeu d'Adam* au XIIe siècle et Jacques de Vitry vers la fin du règne de Philippe Auguste développent inlassablement le thème de la femme dangereuse qu'il convient de neutraliser par les liens du mariage [10]. Toujours au XIIe siècle, un moine de Cluny, Bernard de Morlas, évoque dans un venimeux poème les thèmes classiques de la femme perfide, pécheresse et fétide par excellence [11]. Et c'est vers la fin du XVe siècle que Jacob Sprenger et Heinrich Institutor assomment l'autre moitié de l'humanité de leur fameux *Marteau des sorcières* [12]. Bible des inquisiteurs dans leur chasse aux sorcières, ce livre est aussi l'un de ces monuments consciencieusement compilés de la littérature misogyne.

Cette tradition, le XVIe siècle ne l'ignore pas. Mais il témoigne d'une sérénité relative, et, dans le sillage du roman courtois, la guerre du sexe y fait parfois figure de divertissement feutré. Les textes émaillés de traits malveillants n'en sont pas moins légion. Mais les problèmes qu'ils sous-tendent relèvent de la scolastique la plus pure. La femme est-elle pourvue d'une âme ? Fait-elle partie du genre humain ? Est-elle une erreur de la nature ? Propos

13

déplaisants, sans doute ! Mais, en dépit des apparences, nous sommes encore bien loin des polémiques bruyantes et des violentes pulsions répressives qui secouent le XVIIᵉ siècle à travers la querelle des baroques ou, plus encore, à travers le discours fielleux des stratèges chrétiens du refoulement.

C'est en exploitant l'héritage mythologique, biblique, patrologique et historique qu'une cohorte de misogynes viscéraux, laïques et ecclésiastiques, scoliastes et stratèges du refoulement, rivalise alors de zèle dans le dénigrement systématique d'une femme maléfique et perverse, d'une femme qu'il convient de reléguer dans un univers marginal et clos pour mettre un terme à sa puissance destructrice. Mais ces zélés pourfendeurs du « sexe faible » ne font pas l'unanimité.

Le concert de protestations qu'ils suscitent émane d'une pléiade de partisans acharnés des femmes. Reprenant à rebours les arguments des misogynes viscéraux, ces « féministes » intégristes usent pêle-mêle d'une foule d'exégèses bibliques et de sophismes verbeux pour clamer tout haut la bonté de la femme, sa splendeur et sa supériorité naturelle. Entre le pour et le contre, les opinions mitigées sont rarissimes. Sur tous les fronts, l'esprit de système l'emporte. Les traités sur l'excellence et sur la nocivité des femmes se succèdent, passionnés, irrationnels, déversant tour à tour leur torrent d'injures et de louanges sans nuance.

Face au péril toujours incarné par la femme, on voit se dessiner au XVIIIᵉ siècle une stratégie nouvelle et beaucoup plus subtile, mais pétrie d'hypocrisie. Pour mieux dompter ce farouche adversaire de l'homme, sinon du genre humain, les féministes paternalistes imaginent de l'exalter à travers ses fonctions de mère et de femme au foyer, à travers sa vocation de plaire et la célébration de ses attributs physiques et spirituels. Menée suivant des méthodes rationnelles et sur des bases pseudo-scientifiques, l'opération est couronnée d'un succès total. Au début du XIXᵉ siècle, la femme est pacifiée et son infériorité enfin consacrée par le Code civil.

Mais nous sommes encore bien loin de ce triomphe de la prééminence masculine lorsque, aux xvie et xviie siècles, les misogynes viscéraux s'interrogent sur l'origine d'un fléau dont ils se croient les premières victimes.

1

Les misogynes viscéraux
des XVIe et XVIIe siècles

La polémique qui se développe dans le sillage de l'*Alphabet* n'offre qu'une illustration partielle du débat beaucoup plus vaste qui, pendant près de deux siècles, s'organise autour de thèmes aussi divers que surprenants.

Au nombre de ces thèmes, le problème de l'origine de la femme alimente un nombre considérable d'exégèses. Les mythologies foisonnent d'explications qui, reprises et exploitées dans un sens ou dans un autre, apportent quelques morceaux de bravoure à la querelle des baroques.

L'origine de la femme.

Les Égyptiens croyaient que la femme était née en même temps que plusieurs autres animaux étranges de la vase durcie des bords du Nil. C'est pourquoi, souligne Jean de Marconville, «toutes les créatures de son espèce usent de peu de raison, vivent sans reigles, et meurent sans ordre». Selon les Grecs, poursuit-il, la première femme se serait formée sur du fumier exposé aux rayons torrides du soleil d'Arabie. Aussi ont-elles toutes une «langue de feu[1]». En vérité, la mythologie classique n'est guère plus optimiste. C'est pour assouvir sa colère et pour punir les hommes que

Zeus leur fit don, sous les traits de Pandore, du plus terrible des fléaux.

Quelques plaisants s'avisèrent même d'affirmer, au nom de l'ancienne tradition rabbinique, que Dieu coupa la longue queue dont les hommes étaient jadis affublés pour en tirer la femme. D'autres la décrétèrent issue de la queue d'un chat, d'un serpent ou d'un ours[2].

Avec la Genèse, les choses sérieuses commencent. Dieu se servit de la terre pour façonner l'homme à son image. Mais pour la femme, qu'il n'imagina que pour combler la solitude d'Adam, il l'extirpa de la côte du chef-d'œuvre qu'il venait de créer[3]. Il n'est point d'ouvrage féministe ou misogyne qui ne fasse mention de cette origine, non sans en tirer d'éloquentes conclusions.

« La femme, écrit le féministe Henri Corneille Agrippa, a été formée comme les anges, dans le paradis terrestre. L'homme, au contraire, a été créé comme tous les animaux, hors du paradis, dans un lieu champêtre. » Et voilà pourquoi la femme, qui naquit sur de sublimes hauteurs, n'a jamais le vertige. Voilà pourquoi elle est plus légère que l'homme et que, lorsqu'elle se noie, elle coule moins vite que lui[4]. C'est au nom de l'essence paradisiaque de la femme que le chevalier de L'Escale range Dieu au nombre des féministes et qu'il lui attribue des propos exaltants : « Vous êtes, aurait-il dit à Ève, le chef-d'œuvre de mes mains, tant pour la forme que pour la matière, je ne vous ai point tirée de la boüe, ny de la terre, comme vostre mary : je vous ai extraite d'auprès de son cœur, vous donnant aussi plus de beauté et d'esprit[5]. »

Mais toutes les exégèses ne procèdent pas du même parti pris, et, sous la plume des misogynes, la côte d'Adam a vite fait de se transformer en source de dégénérescence. Elle est tordue, la femme aura donc l'esprit tordu et contraire à l'homme[6]. Elle est craquante, la femme sera donc bruyante et babillarde[7]. Transgressant l'esprit de la Genèse, certains en tirent même argument pour prouver que la femme n'est en définitive qu'un sous-produit de l'homme, et l'humoriste qui affirme qu'elle est formée de cette « étoffe grossière et stupide » dont les dieux se servirent pour façonner les singes et les pygmées s'inspire d'un préjugé courant[8].

Surtout, et en dépit des affirmations péremptoires de la Genèse, tous ne s'accordent pas sur l'origine exclusivement divine de la femme. Du moins est-il certain que l'esprit malin, jaloux de la suprême félicité de l'homme, aura marqué la femme dans ce qu'elle a de pire. C'est ainsi qu'un professeur de droit de Turin, Jean de Nevisan, affirme très sérieusement au début du XVIe siècle dans sa *Sylva nuptialis* que Dieu forma dans la femme toutes les parties du corps qui sont douces et aimables et que le diable, qui voulut s'en mêler, façonna la tête. De là à ne voir dans la femme qu'un « organe du diable », il n'y avait qu'un pas que certains ont franchi sans scrupule. Et ce sont ceux-là mêmes qui affirment que la femme n'a pas d'âme.

La femme a-t-elle une âme ?

Pendant des siècles, des philosophes, des théologiens et des savants se sont gravement penchés sur le problème. La femme est-elle une créature humaine et raisonnable ? Est-elle douée d'une âme ? Rien n'a jamais été moins évident.

Dans son *Livre de la génération des animaux,* Aristote considère déjà la femme comme une ébauche, comme une production incomplète, vicieuse et contraire au but d'une nature qui, dans un ordre plus parfait, n'engendrerait que des mâles. En d'autres termes, la femme ne serait qu'un « mâle accidentel ». Pendant plus de deux millénaires, la théorie d'Aristote fit école, et plusieurs savants soutinrent gravement que la naissance d'une fille n'était qu'un accident, qu'une monstruosité produite à l'insu du maître de toutes choses.

En 585, plusieurs évêques réunis au Concile de Mâcon mirent en doute l'appartenance de la femme à l'espèce

19

humaine. Ils pensaient que, dans le meilleur des cas, elle était d'une nature très inférieure à celle de l'homme. Au demeurant, il n'était même pas certain que Jésus ait souffert pour elles. Et ce n'est qu'après avoir entassé arguties sur arguties que les pères conciliaires décrétèrent du bout des lèvres que la femme ne faisait pas partie du règne animal [9].

Mais les irréductibles qui lui refusèrent l'insigne honneur d'appartenir au genre humain restaient nombreux. Les textes qui la traitent d'« animal ambigu », d'« animal concupiscent », de « créature diabolique » ou de « monstre » ne se comptent pas. Au XIVe siècle, les premières dissections humaines sont, pour plus de prudence, pratiquées sur des femmes peut-être dépourvues d'âme : c'est ainsi qu'en 1315 l'anatomiste Mundini de Luzzi, bravant l'interdit de Boniface VIII, osa disséquer publiquement deux cadavres à Bologne. Il est vrai que dans un souci de sagesse, et pour se protéger des foudres divines, il pratiqua l'opération sur des femmes qu'il croyait dépourvues d'âme [10]. Selon un préjugé tenace, les femmes ne devraient d'ailleurs pas ressusciter [11]. L'art en porte un témoignage éloquent. Dans les représentations iconographiques de la résurrection des morts, ce sont les hommes qui, en majorité, surgissent des cercueils. Dans le meilleur des cas, certains admettent que toutes les femmes seront transformées en hommes au jour du Jugement dernier [12].

Mais les esprits les plus chagrins soutiennent que la femme « peut être avec raison appelée monstre » car elle ne « s'engendre pas selon les vœux de la nature [13] ». Dans son commentaire sur Plotin, l'humaniste italien Marsile Ficin (1433-1499) assure de même que la force procréatrice de tout animal travaille incessamment à la production des mâles, incarnation suprême de la perfection. Mais la nature universelle engendre quelquefois des femelles afin que le concours des deux sexes perfectionne l'univers [14]. *Le Parfait Courtisan* de Balthazar Castiglione formule une appréciation à peu près identique : « La nature, qui a toujours l'intention de faire ses ouvrages parfaits, voudroit ne produire que des hommes. » La naissance d'une femelle n'est qu'un fruit du hasard au même titre que celle d'un enfant aveugle ou boiteux. Galant homme, Castiglione se montre en l'occurrence plein de mansuétude. Les femmes n'y sont pour rien, il ne faut ni leur en vouloir, ni les mépriser[15].

Ce sont toutefois les œuvres de Guillaume Postel et de Valens Acidalius qui portent les passions à leur paroxysme.

En 1595 paraissait une brochure rédigée en latin et intitulée *Mulieres homines non esse*. Son auteur, le philosophe allemand Valens Acidalius, y soutenait de façon péremptoire que la femme ne fait pas partie du genre humain. Elle n'est en fait qu'un «instrument complexe de génération» dépourvu d'âme, en d'autres termes on peut la considérer comme un animal. Les preuves ne manquent pas (éd. française de 1761) :

> Pour des raisons de commodités liées à l'accouplement, «Dieu n'a pas donné à l'homme un animal quadrupède, mais un animal plus convenable, et qui ressemble dans sa structure, tel en un mot que la femme» (p. 20).
> La Cananéenne s'en confesse elle-même lorsqu'elle s'écrie : «Il est vrai, Seigneur, nous sommes des chiennes.» Voilà pourquoi «il est permis aux femmes de demander ces miettes qui tombent quelquefois de la table des maîtres» (p. 31).
> «Si les femmes pèchent, leurs péchés ne diffèrent guère des fautes que les bêtes commettent.» Sans doute Madeleine a-t-elle été possédée par sept diables, mais «les cochons étaient aussi possédés par les diables» (p. 48).
> «Nous parlons, diront les femmes, nous avons une âme et la raison en partage, nous sommes donc des créatures humaines. Nous leur nions la conséquence. Car il y a des oiseaux qui parlent et l'ânesse de Balaam a parlé. Parler sans raisonner, ce n'est proprement que jaser comme une pie» (p. 68).

Ce n'est qu'à la fin de l'ouvrage qu'Acidalius avoua que l'ironie avait guidé sa plume. Il s'en excusa auprès des femmes. «Nous protestons, dit-il, que si nous sommes coupables, ce n'est pas pour avoir voulu leur déplaire, mais pour nous être occupés ridiculement d'une sottise. » En vain ! Le pamphlet souleva une telle indignation qu'il déchaîna contre Acidalius les foudres de la justice. Cité devant les magistrats de Leipzig, l'auteur soutint que l'écrit n'était pas de lui, qu'il circulait depuis longtemps en Pologne et qu'il n'en avait assumé que la réédition. Ce n'était, disait-il, qu'un badinage théologique, une satire dirigée contre les sociniens pour montrer à quel point on peut abuser de l'Écriture. L'ouvrage n'en fut pas moins condamné et il suscita une réfutation en règle du ministre brandebourgeois Gedike. Loin de le réhabiliter, le traducteur français d'Acidalius, Meusnier de Querlon, déclara tout haut, en plein XVIIIe siècle, qu'il ne prenait aucun intérêt à son « bavardage » et qu'il approuvait « par avance sans restriction tout ce que des personnes judicieuses trouveraient répréhensible et dans le texte, et dans les notes ».

Lorsque l'on s'interroge sur la condamnation de ce cinglant chef-d'œuvre de la littérature satirique, on s'aperçoit qu'il a pu faire jouer des mécanismes complexes. Acidalius fait surgir de façon tapageuse des mythes effrayants, mais souvent honteusement refoulés. On s'en doute, la protestation ne procédait d'aucun idéalisme féministe. Elle reflétait au contraire la hantise d'une zizanie semée par l'irruption spectaculaire de monstres enfouis mais bien vivants. Non, le XVIIe siècle n'offrait pas un terrain favorable à la propagation de telles plaisanteries. Que penserait-on, aujourd'hui même, d'une élégante badinerie conçue sur le thème du racisme ?

L'œuvre de Guillaume Postel témoigne d'ailleurs de la réalité et de la profondeur du problème. Elle souligne en même temps le désarroi des esprits devant l'hypothétique appartenance de la femme à l'espèce humaine et devant l'incertitude du salut de son âme.

Étrange et troublante personnalité que celle de ce théologien de la première moitié du XVIe siècle. Mystique ésotérique en quête d'une solution aux mystères de ce monde, on le voit inlassablement tourné vers cet Orient fabuleux dont il soupçonne déjà les richesses spirituelles cachées. Il pense en arabe, en hébreu, il connaît le turc, il a interrogé la Kabbale, découvert le *Sepher Iezirak* et le *Zohar*. Cet orientaliste impénitent est de surcroît un féministe authentique. Il est l'auteur d'un ouvrage intitulé *les Très Merveilleuses Victoires des femmes du Nouveau Monde*. Mais l'aspect le plus troublant et le plus émouvant du féminisme de Guillaume Postel se dégage d'une rencontre qui bouleversa sa vie.

C'est en 1547 qu'il devient le confesseur de «mère Johanna». Cette «pétiote vieille femmelette» quinquagénaire et illettrée lui révèle soudain, ô stupeur!, «les plus hauts mystères sur la multitude des choses divines et des choses naturelles nécessaires pour connaître et aimer Dieu». Dans l'ouvrage qu'il lui consacre, il montre comment celle qu'il appelle «la Vierge vénitienne» est capable de voir à travers les corps opaques jusqu'au centre de la terre «et cela sans extase ni par aucun autre moyen que le mouvement de sa vue intérieure [16]». Le même prodige lui permet de voir le Christ en personne et le diable dont elle observe les maléfices, «lesquels», juste retour de choses, «il fait faire par les hommes [17]». Entre autres prophéties, elle annonce que les Turcs seraient tous convertis rapidement et qu'ils seraient les meilleurs chrétiens du monde [18].

Mais voilà le plus surprenant. Guillaume Postel affirme que Venise est une seconde Jérusalem et que, issue de la substance même du Christ, mère Johanna est venue sur terre pour compléter sa rédemption. Car le Sauveur n'est mort que pour les hommes et, selon la terminologie nébuleuse de Postel, seule la partie masculine ou «hémisphère masculin de l'âme humaine» a bénéficié du rachat, et c'est «l'hémisphère féminin» qu'il s'agit désormais de sauver des ténèbres [19].

Mysticisme délirant, peut-être, mais mysticisme issu d'un esprit imprégné d'amour et assoiffé de justice. Il montre à quel point l'inégalité dogmatique entre la femme et l'homme a pu être intensément ressentie et vécue par quelques-uns.

Aussi conçoit-on l'épouvante semée dans les familles par la naissance d'une fille. Mais cette épouvante était rarement d'essence purement théologique.

La naissance du monstre.

> Un lit de douleur est là, lit nu et grossier pour le pauvre comme pour le riche, pour les peuples du Nord comme pour ceux du Midi ; car il faut une couche dure pour cette opération... Une femme accouche, auprès d'elle, son mari inquiet, sa mère tremblante, le médecin silencieux ; tous les regards sont tournés vers celui-ci : on attend. Soudain, part un faible cri, premier cri de la vie, l'enfant est né. « Qu'est-ce, qu'est-ce ? demande-t-on avec angoisse. — C'est une fille. » Pendant combien de siècles, chez combien de nations, ce mot — C'est une fille ! — a-t-il été une parole de désolation, même un signe de honte[20] !

Lorsque le féministe Ernest Legouvé dépeint la pitoyable atmosphère qui règne autour du berceau d'une petite fille qui vient de naître, le XIXe siècle s'achève, l'ère bourgeoise est à son apogée. Mais les regrets qui accompagnent la naissance d'une fille ne s'identifient pas au triomphe de la bourgeoisie. Leur caractère universel dans le temps et dans l'espace est l'une des constantes de l'histoire des mentalités. Devant l'unanimité du sentiment, la question est posée. Les femmes ont-elles le droit de naître ?

Le Lévitique consacre déjà la disgrâce qui pèse sur le nouveau-né dont le seul crime est d'être dépourvu de phallus. La femme qui vient de mettre au monde un garçon est réputée souillée pendant quarante jours, mais, lorsqu'elle accouche d'une fille, la souillure dure deux fois plus longtemps[21].

En Inde, le malheur qui frappe une famille à la naissance d'une fille est lié au sort des parents dans l'au-delà. Leur bonheur éternel dépend effectivement d'un rituel que les seuls descendants mâles sont en mesure d'accomplir[22].

La petite fille qui venait au monde dans la Chine impériale devait se faire une bien triste idée de notre pauvre humanité. On la couchait à terre sur quelques vieux lambeaux et on la laissait croupir pendant trois jours avant de s'en occuper. Peut-être nourrissait-on en secret l'espoir de la voir mourir. Le mâle, on s'en doute, faisait l'objet de soins immédiats[23].

Des guirlandes d'olivier suspendues à la porte du foyer signalaient aux Athéniens la naissance d'un garçon. Une quenouille annonçait celle d'une fille[24].

Avant que Mahomet ne vînt porter la bonne parole, les anciens Arabes considéraient la naissance d'une fille comme un grand malheur et sa mort comme une faveur. Le prophète a dénoncé cette attitude : « Que leurs jugements sont déraisonnables », dit-il des pères misogynes[25]. Il n'empêche que le Coran considère la femme comme un être inférieur et que les musulmanes attendent toujours leur « Vierge vénitienne ».

Mais c'est de l'Occident chrétien que nous viennent les témoignages les plus nombreux. Pour plusieurs bonnes raisons, Jacques Olivier dénie aux femmes le droit de naître :

> La première est que si elles sont belles et agréables, il faut trop de soin et de vigilance pour les garder.
> La seconde parce qu'étant laides, difformes et contrefaites, il faut trop de moyens et de richesses pour les avancer au mariage.
> La troisième, pour ce qu'étant inhabiles aux sciences et arts méchaniques, elles ne peuvent pas faire profit aux maisons et Républiques...
> La quatrième est la vanité naturelle et coutumière des femmes[26].

Ainsi s'explique la colère d'un père qui vient d'apprendre la naissance d'une fille. « Dès qu'elle est née, écrit le chevalier de L'Escale, il la maudit, il la destine au cloître, ou bien il se tourmente, ou bien il prendra son mariage[27]. »

L'histoire de France en offre un témoignage saisissant. Lorsque Louis XI apprit la naissance de son premier enfant, Jeanne de Valois, il refusa de la regarder et interdit toute réjouissance publique. En l'espace de quatre ans, il ne la vit qu'une seule fois. Encore fut-ce pour s'exclamer : « Je ne l'aurais jamais crue aussi laide. » Plus tard, il la poursuivit d'une haine si féroce que la gouvernante de la pauvre enfant la dérobait au regard de son père en la cachant, dit-on, dans les plis de sa robe[28].

Au XIXe siècle, et même aujourd'hui, les préjugés survivent en foule. La naissance d'une fille semble, par exemple, dépouiller l'homme d'une partie de sa virilité, et l'expression « il ne fait que des filles » le situe à la limite de l'infamie. « Interrogez tel paysan sur sa famille, écrit Ernest Legouvé, il vous répondra : "Je n'ai pas d'enfants monsieur, je n'ai que des filles." Le fermier breton dont la femme met au monde une fille dit encore aujourd'hui : "Ma femme a fait une fausse couche"[29]. »

Pourtant, par un paradoxe qui n'est ni le seul ni le moindre de son espèce, c'est sur la femme que repose la pérennité de l'espèce, et l'image de la Terre mère, divinité de la fécondité par excellence, se perd dans la nuit des temps. En fait, pour les misogynes de la période classique, l'obstacle est levé en douceur. Négligeant le séminisme égalitaire d'Hippocrate qui repose sur la parité des sexes en matière de génération, ils s'en réfèrent plus volontiers au séminisme phallocentrique d'Aristote. Selon ce système, le principe prolifique n'émane que de la seule semence du mâle. Le rôle de la femelle se réduit à la fourniture du sang menstruel, matière brute et inerte, mais nourriture nécessaire à la croissance du fœtus. Ainsi s'opère le renversement de tendance. L'homme est cause « efficiente » de vie, et la femme, au contraire, « instrument » passif de génération, terre ensemencée, « hostellerie » assurant à l'embryologie « le gîte et le couvert[30] ».

Tous les moyens sont donc bons pour avoir des garçons. On fait des prières, des neuvaines, des pèlerinages. On fait brûler des cierges, on se recommande à la Vierge, au Bon Dieu et, s'il le fallait, on invoquerait le diable. On interroge les astres, les sorciers, les médecins. On compose des philtres, on adopte telle posture pendant le coït, tel régime alimentaire, tel genre de vie... En vain, les filles naissent toujours. Et, au terme d'une sélection catastrophique, elles ne naissent point du meilleur cru. Marconville donne du phénomène une explication édifiante. Au temps de Marc Aurèle, dit-il, une épidémie de peste tua les femmes les meilleures. Mais les mauvaises survécurent et elles repeuplèrent copieusement la terre [31].

Et voilà pourquoi le sexe faible est pétri de vices !

L'ennemi public.

La femme est «un animal dangereux et licencieux [32]», et l'énumération de tous ses défauts se révèle impossible. Elle a été conçue pour la perte de l'homme, et les menées subversives qui la rendent si redoutable ici-bas s'inscrivent dans le prolongement direct de cette malice dont elle usa pour troubler jadis la béatitude du premier homme.

A l'origine du mal, cette incurable faiblesse qui la pousse à la haine, à la vengeance. «Les plus infirmes, écrit Jacques Olivier, se laissent plus promptement transporter de ces deux redoutables passions, comme sont les enfants, les malades et les femmes [33]. » Or, depuis l'Antiquité, la femme est traditionnellement réputée froide et humide, c'est-à-dire infirme et débile, tandis que l'homme sec et chaud s'érige en symbole de force et de constance. Tous les hommes de science sont de longue date d'accord sur ce point. Mais l'exploitation misogyne de la théorie du froid et de l'humide gagne en crédibilité dès la fin du XVIᵉ siècle pour s'épanouir au XVIIᵉ siècle. Paré, Joubert, Dulaurens, Venette et bien d'autres entonnent en chœur l'éternelle litanie de l'« imbecilité » de la femme.

Du mythe de sa faiblesse atavique découle, par le biais d'une complémentarité naturelle, le mythe de sa violence incurable. Réaction de compensation prévisible, sinon inéluctable. A ce titre, la femme du XVIIe siècle s'inscrit dans la filiation des Amazones ravageuses, des Parques qui suspendent le cours de la vie ou des Érinyes impitoyables.

Manipulant l'invective en virtuose, Jacques Olivier s'acharne sans relâche sur la femme méchante. C'est une « furie », un « tifon d'enfer », l'« alumette du vice », la « sentine d'ordure », une « chimère multiforme[34] ». Cataclysme ambulant, « elle peut plus porter de nuisance que la mer esmeüe par ses flots, plus brusler et consommer que le feu, plus que pauvreté à tout malheur conduire[35] »... La femme est cruelle, sanguinaire et dépouillée de toute humanité[36]. Lorsqu'elle hait quelqu'un qu'elle a d'abord aimé, alors, écrit Jacob Sprenger, elle brûle de colère et d'impatience[37].

Une multitude grouillante de femmes « ogresses » peuple la littérature du XVIIe siècle et les *Histoires tragiques et vécues* de Bendel et Rosset. Complaisamment émaillés de détails sanguinolents, ces récits foisonnent d'abominations liées au mythe du dépeçage de l'homme. Combien de malheureux furent-ils les innocentes victimes d'une Violente ou d'une Fleurie ? L'épouvante se mêle au sadisme le plus raffiné dans les supplices que ces deux furies font subir à leurs amants insoumis. Dans sa vengeance, Violente est relativement modérée. Elle se contente de poignarder Didaco et de lui arracher les yeux, la langue et le cœur : péccadille ! Le cadavre de Clorizande fait l'objet d'un dépeçage autrement savant. Après l'avoir attiré dans un guet-apens, Fleurie...

... « se ruë sur lui et à belles ongles lui égratigne tout le visage. Le misérable veut crier, mais Maubrun (valet et complice de Fleurie) lui met un baillon dans la bouche. Fleurie tire un petit couteau dont elle lui perce les yeux, et puis les lui tire de la tête. Elle lui coupe le nez, les oreilles, et assistée du valet lui arrache les dents, les ongles et lui coupe les doigts l'un après l'autre. Le malheureux se démeine et tâche de se désempétrer », en vain ! « Elle lui a jetté des charbons ardents dans le sein, et proféré toutes les paroles injurieuses que la rage apprend à ceux qui ont perdu l'humanité : Elle prend un grand couteau, lui ouvre l'estomach, et lui arrache le cœur, qu'elle jette dans le feu qu'elle avoit auparavant fait allumer dans cette salle [38]. »

Au mythe du dépeçage s'ajoute parfois celui de la salaison maintes fois attesté par les sources littéraires [39] et iconographiques.

La cruauté de la femme est d'autant plus perfide qu'elle exerce souvent ses ravages sous les dehors les plus séduisants. « Ce monstre, remarque Jacob Sprenger, se pare de la noble face d'un lion rayonnant ; il se souille d'un ventre de chèvre, il est armé de la queue venimeuse d'un scorpion. » En d'autres termes, « son aspect est beau, son contact fétide, sa compagnie mortelle ». C'est pourquoi « la voix des femmes est comparée au chant des sirènes, qui, par leur douce mélodie, attirent ceux qui passent et les tuent [40] ». L'Ancien Testament en porte déjà le témoignage : « Plus onctueuse que l'huile est sa parole, mais l'issue en est amère comme l'absinthe », lit-on au livre des Proverbes (V, 3).

C'est de la conjonction insolite de cette beauté et de cette cruauté qu'est né vraisemblablement le mythe de la femme dissimulatrice. Oui, la femme est un « animal difficile à comprendre ». Il y a, dans son esprit, remarque Jacques Olivier, « tant de cabinets et d'arrières boutiques, tant de ressorts, de chambres et d'antichambres à louer, qu'on ne sait pas où se mettre pour estre logé à la fidélité ». Pour Marconville, c'est au service de la « fraude », de « l'imposture », de la « trahison » qu'elle met le plus souvent « l'esprit et l'artifice que nature luy a donné [41] ».

Au demeurant, la prolixité de son verbe, ce « babil »

incessant que certains attribuent à la nature craquante de la côte dont est issue la première femme et que d'autres mettent sur le compte d'une « grande mobilité de la part de l'instrument » et de « la promptitude de l'imagination [42] », faussent le jeu des rapports entre les sexes.

Ajoutons que la femme est naturellement jalouse, bête, curieuse, vaniteuse. Son imagination est débridée, ses jugements aberrants. Aucune foi ne l'anime. Nous apprenons, sous la plume de Jacob Sprenger, que « *femina* vient de *fe* et *minus,* car toujours elle a et garde moins de foi [43] ». Contraire à l'homme, elle défie même les lois de la nature avec une telle assurance que le corps d'une femme noyée remonte le cours des fleuves au lieu de se laisser porter vers l'aval, comme le ferait tout cadavre un peu normal [44].

Montaigne s'est lui-même ingénié à dénigrer l'ambiguïté de l'esprit féminin : « Elles s'ayment le mieux où elles sont le plus tort. L'injustice les allèche... La plupart de leurs deuils sont artificiels et cérémonieux... De leur donner conseil pour les desgouter de la jalousie, ce seroit temps perdu ; leur essence est si confite en soupçon, en vanité et en curiosité, que les guérir par voye légitime il ne faut l'espérer [45]. »

Une multitude de proverbes du Moyen Age et du XVIIe siècle reflètent encore la malveillance des sentiments inspirés par la femme :

> Il y a trois choses dans la nature qui ne connaissent pas de juste milieu : la langue, un ecclésiastique et la femme.
> Trois choses sont insatiables : les prestres, les femmes, la mer.
> La femme est proprement un paon parmy les ruës, un perroquet en sa fenestre, un singe au lit et un diable dans la maison.

Il faut y ajouter un grand nombre de petits poèmes où le cynisme et l'humour se liguent avec férocité contre les femmes :

Faut-il que cette créature
Qui ne nous sert que de monture
Nous donne tant d'adversités,
Et que tant plus on la courtise,
Tant plus elle nous tirannise,
Horrible en ses méchancetez [46].

C'est pour toutes ces raisons que Satan a jeté son dévolu sur cette créature, lieu d'élection de tous les vices. Sprenger est sur ce point formel : ce sont les femmes qui peuplent essentiellement la sinistre cohorte du Prince des Ténèbres et ce n'est pas sans raison que l'art des maléfices s'appelle « l'hérésie des sorcières [47] ». Après lui, tous les classiques de la démonologie, de Bodin à de Lancre, et de Del Rio à Pierre Masse, vibrent à l'unisson lorsqu'ils flétrissent la femme, organe privilégié du diable. C'est de façon tragique que « la sorcière » a cristallisé les énergies misogynes. En l'espace de deux siècles, il en a coûté la vie à des milliers de malheureuses.

L'un des premiers, Michelet, s'est penché sur l'origine du mythe de la sorcière. En réhabilitant la femme et en cédant aux impulsions mystiques de son féminisme, il a peut-être été guidé par une intuition de génie. « Elle naît fée par le retour régulier à l'exaltation, elle est sibylle. Par l'amour, elle est magicienne. Par sa malice, souvent fantasque et bienfaisante, elle est sorcière et fait le sort, du moins endort, trompe les maux [48]. » Méprisée, délaissée, la femme aurait, par une sorte de réaction de compensation, occupé « la place dominante » qu'elle a conquise en matière de sorcellerie. « C'est elle qui la prend d'elle-même. Je croirais volontiers que le Sabbat, dans la forme d'alors, fut l'œuvre de la femme, d'une femme désespérée telle que la sorcière l'est alors [49]. » Grillot de Givry parvient à des conclusions identiques lorsqu'il constate que c'est par la plus implacable des logiques que la femme est devenue la prêtresse du diable, « les hommes étant seuls admis au service du Seigneur [50] ».

Comment, dans de telles conditions, les femmes n'auraient-elles pas usé de cet onguent opiacé qui les aurait alors transportées dans ce paradis artificiel qu'est le sabbat ? Comment n'auraient-elles pas succombé à ces crises d'hystérie dans lesquelles théologiens et inquisiteurs virent la preuve évidente de l'emprise du démon ?

Mais c'est par-dessus tout l'irrémissible propension de la femme à la concupiscence qui en a fait l'élue privilégiée de Satan et l'ennemie du genre humain. Il faut dire que, pendant près de deux siècles, les plus grands stratèges du refoulement en ont fait le dépotoir de leurs névroses dans un discours saturé de tendances obsessionnelles.

2

Les stratèges du refoulement

L'origine du mythe de la femme voluptueuse et perverse tenant l'univers sous la coupe de sa voracité sexuelle se confond avec un passé lointain et ténébreux. Depuis la Genèse, elle est génératrice de mythes qui s'expriment de façon plus ou moins nuancée à travers les âges, avec, ici ou là, quelques pointes paroxysmiques, aux premiers siècles du christianisme et au XVIIe siècle, notamment. On peut considérer cette dernière période comme l'âge d'or de la fulmination ecclésiastique contre le sexe. Mais comment expliquer la réitération des grands phantasmes patrologiques qui s'épanchent librement à travers la dénonciation de la femme ? La réponse n'est pas simple. Plusieurs facteurs ont pu jouer, ici aussi. La Réforme et la Contre-Réforme, en introduisant un élément de plus grande austérité dans les mœurs, ont peut-être déclenché des mécanismes de refoulement, et la diffusion du livre a pu, de son côté, assurer la propagation des grandes phobies qui ponctuent une partie du discours patrologique. Dans de telles conditions, la femme devient la cible privilégiée des orateurs qui montent en chaire, et sa lascivité leur offre un prétexte particulièrement incisif. Pour mesurer l'ampleur du formidable potentiel de culpabilisation qui s'accumule sur elle, il faut savoir que la concupiscence est l'un de ces grands fléaux qui menacent l'humanité chancelante.

33

L'animal concupiscent
ou la névrose du père Maillard.

Ce fléau, on le retrouve dans toute une partie du discours théologique du XVIIᵉ siècle. La névrose du père Claude Maillard offre une parfaite illustration de cette peur panique qui empoisonne l'atmosphère dans laquelle trempe la plupart des prédicateurs bigots. Pour ce bon jésuite, la concupiscence est d'abord une sorte de monstre qui ne connaît point de mesure, qui dévore tout :

> La concupiscence est comme un feu, aussi est-elle appelée foyer, brasier, amorce, alumette du péché... C'est un feu qui gaste tout et qui pénètre jusques à la racine des vertus, s'il n'est retenu et resserré dans sa sphère...
> La concupiscence est une mer esmeue et furieuse, qui eslance ses flots avec impétuosité, et menace de tout perdre...
> La concupiscence est comme une mer indomptée, comme un asne sauvage qu'il faut lier... c'est un poulain indompté...
> La concupiscence est un chien enragé qui est toujours aux aguets contre la raison... un lion furieux... un voleur qui espie toujours pour faire son coup [1]...

Dans les faits, le monstre exerce ses ravages par la torture qu'elle inflige au genre humain. En deux mots, elle est la cause de « la guerre civile que nous sentons en nous ». En termes de philosophie, disons que ses mouvements déréglés résultent « d'une révolte de la partie inférieure de l'âme contre la supérieure, ou de la chair et partie inférieure de l'âme contre la supérieure, ou de la chair et sensualité contre l'esprit ». Or, « c'est mal et chose répugnante à la justice de se mutiner contre ses supérieurs ».

De ce point de vue, la concupiscence porte le germe de l'anarchie. Elle bouleverse l'ordre établi, elle renverse la hiérarchie. Pour Maillard, et pour la plupart des théologiens de son temps, la chair exacerbée ne se contente pas de troubler l'âme, elle perturbe la conception de tout un univers socio-religieux. L'expérience quotidienne nous apprend même qu'elle rend fou au point « de ne plus faire estat des jugemens de Dieu, mépriser ses menaces, ne tenir aucun compte de ses promesses : voire oublier pères, mères et leurs advertissemens ».

A la torture morale s'ajoute bientôt la trituration physique. Car, pour mater la révolte de la chair, tous les moyens sont bons :

> Plusieurs se servent de jeusnes, de veilles, de cilice, de haire, de fouets, de disciplines, de chaines de fer... Aucuns couchent sur la durre, se retirent de la conversation des hommes, s'emprisonnent, gardent le silence pour éviter les saillies... S. Benoist se veautre parmy les espines, S. François se couche tout nu dans la neige, S. Hierosme se meurtrit la poitrine à grands coups de cailloux.

Devant l'ampleur du désastre, comment ne pas détester l'« animal concupiscent » qui se dissimule à la racine du mal ? Car « il est hors de controverse que la femme ne soit plus lascive et plus insatiable que l'homme [2] ». « Peut-on trouver, s'exclame le père de Barry, un animal plus subject à pourriture et corruption que la femme [3]. » Pour l'abbé Du Bosc, la boulimie sexuelle des femmes « s'allume mesme dedans l'eau et pour des objets dignes d'horreur et de haine. Sémiramis ayma un cheval, Pasiphae un taureau, Glauca un chien et Glaucippe un éléphant [4] ». Certaines se sont mêmes livrées à des chiens, à des magots, à des tritons, à des hommes marins et à des ours « pour dissiper leurs enragés et furieux chatouillemens [5] ».

Et le cours de l'histoire n'est-il pas perturbé par ces femmes qui, selon l'expression de Marconville, « ont si bien embabouiné les hommes de l'amour lascif, qu'ils ont délaissé plusieurs beaux faits » ? Anilina « vendoit les vierges en sa boutique moins cher qu'Eumède la chair de veau en sa boucherie». Flora «ne s'adonnoit qu'aux grands de ce monde», et Messaline s'en alla au bordel pour «jouxter» victorieusement la courtisane la plus renommée de son temps. Après avoir essuyé l'ardeur lubrique de vingt-cinq mâles en rut, elle «s'estoit retirée, lassée mais non rassasiée». Et Laïs «pluma si bien ses amoureux, qu'il ne leur demoura que la seule parole pour raconter leurs passions[6]».

Face aux agressions d'un pareil cannibalisme sexuel, il fallait réagir. Ce sont les Pères de l'Église et les premiers théologiens chrétiens qui, les premiers, ont lancé un avertissement solennel et tenté de refouler la femme dans une marginalité débilitante pour la mettre hors d'état de nuire.

La semence patrologique.

L'Ancien Testament était déjà ponctué de mises en garde et la Patrologie ne fait que recueillir un héritage séculaire et saturé de thèmes misogynes.

Salomon conseille de fuir cette «femme étrangère» dont les paroles sont «aussi acérées qu'une épée» et dont «les pas descendent vers la mort, vers l'enfer[7]». L'Ecclésiaste trouve la femme «plus amère que la mort» et proclame la nécessité d'échapper à ses «filets» si l'on veut rester dans les bonnes grâces de Dieu[8].

C'est toujours dans l'Ancien Testament qu'il est fait mention de la cruelle dénudation de ces coquettes qui, à l'image des filles de Sion, «marchent à pas menus, le cou tendu en lançant des œillades[9]». Une cruauté sadique se dégage alors des paroles d'Ézéchiel. Selon la volonté du Seigneur, la femme perverse sera livrée toute nue à ses amants au terme d'une dénudation savamment étudiée : «Et je découvrirai tes parties naturelles devant eux, et ils devront voir toutes tes parties naturelles... Et je te livrerai en leurs mains et à coup sûr ils démoliront ton tertre et ils devront te dépouiller de tes vêtements et te laisser nue et découverte [10]. »

Ainsi, comme le souligne Jean Delumeau, la peur de la femme n'est donc pas une invention des ascètes chrétiens, « mais il est vrai que le christianisme l'a très tôt intégrée et qu'il a ensuite agité cet épouvantail jusqu'au seuil du XXe siècle ». Pourtant, Jésus avait témoigné d'une si grande compréhension envers les femmes que ses disciples eurent du mal à le suivre dans cette voie. « Alors que les femmes juives n'avaient aucune part à l'activité des rabbins et étaient exclues du Temple, Jésus s'entoure volontiers de femmes, cause avec elles, les considère comme des personnes à part entière. » Aussi, lorsque tous ses disciples sauf Jean l'abandonnent le jour de sa mort, les femmes demeurent fidèles au pied de la croix et les quatre Évangiles nous les présentent comme les premiers témoins de la Résurrection [11].

Mais le « féminisme » de Jésus eut du mal à briser l'héritage séculaire d'une idéologie dominée par la peur de la femme. A l'aube même du christianisme, les conceptions traditionalistes sont consacrées par saint Paul. Même si l'Épître aux Galates (III, 8) proclame l'égalité dogmatique de tous, l'Épître aux Corinthiens (XI, 9) et l'Épître aux Éphésiens (V, 22-24) n'en marquent pas moins l'amorce d'une régression sensible par rapport à la pensée de Jésus : la femme doit être vouée au silence et à la soumission. Encore est-on bien loin de l'agressivité viscérale dont témoignait l'Ancien Testament.

Au demeurant, saint Paul ne fait que refléter la sensibilité de son temps en exprimant à sa façon un sentiment qui, sous une autre forme, s'est perpétué jusqu'au XIXe siècle. Ainsi, si l'apôtre n'était pas spécifiquement misogyne dans le contexte socioculturel du Ier siècle, peut-être Jésus était-il quant à lui trop novateur pour son époque.

C'est l'un des plus grands misogynes de tous les temps, Tertullien, qui, le premier, renoue hardiment avec l'esprit d'Isaïe et d'Ézéchiel dans un discours où il dénonce avec une violence passionnelle les menées subversives de la femme. C'est par sa faute que l'homme a été séduit par le diable, et c'est en cela qu'elle a brisé l'image vivante de la divinité et condamné le genre humain à sa perte. Pour se laver de cette souillure indélébile, elle devrait porter le deuil à jamais, rester couverte de haillons, se vouer à une pénitence éternelle [12].

Dans la filiation de Tertullien, un large fragment du discours théologique sur la femme reste profondément inspiré par la peur névrotique de la chair.

En soi, sans doute, la chair n'est pas coupable. Elle n'en reste pas moins, selon l'expression de saint Ambroise, le « ministre du péché [13] ». Et ce ministère ne peut s'accomplir que grâce à la complaisance des femmes. Saint Jérôme reprend le même thème dans l'Épître à l'Océan (début du Ve siècle). Pour lui, la femme incarne « la porte du diable », « le grand chemin de l'iniquité ». Elle donne « la piqûre du scorpion et pour tout dire, elle est d'une race qui produit d'étranges désordres ». La concupiscence l'enivre, elle blesse la conscience de quiconque s'en approche et tout homme doit faire son choix entre « Dieu et cette fournaise de malice ». Pour saint Jean Chrysostome (fin du Ve siècle) « il n'y a point de bête si féroce sur la terre ». La femme est dangereuse par nature. C'est le « poignard du diable ». Les lions, les tigres et les léopards peuvent être domestiqués, à l'inverse de la femme. Et saint Jérôme va encore plus loin dans la dénonciation de cette femme qui n'est que « cendre, foin, sale pourriture qui a tiré son origine d'une vilaine semence [14] ».

A travers ce terrible réquisitoire, les premiers grands stratèges chrétiens du refoulement cherchent visiblement à reléguer la femme à l'intérieur d'un espace strictement balisé. Sans doute ne cherche-t-on pas à l'isoler physiquement et saint Jérôme est bien le seul à prétendre qu'une fille doit être cloîtrée, qu'elle ne doit jamais sortir sans sa mère et que ses activités doivent se borner à la manipulation du fuseau et de la quenouille [15]. Le refoulement est beaucoup plus subtil. Il vise à neutraliser ce rayonnement mortel qui émane de sa personne, à étouffer son pouvoir de séduction. Jamais une jeune fille ne devra regarder un jeune homme [16]. Sa démarche et son maintien ne devront susciter aucun sentiment de trouble [17]. Elle devra marcher les yeux fixés à terre, se refermer sur elle-même et n'afficher que sa modestie [18]. Tertullien ose même soutenir qu'une femme ne doit rien faire pour s'embellir et qu'elle doit, au besoin, s'enlaidir pour plaire à son mari en déplaisant aux autres hommes [19].

Il est donc logique que les premiers théologiens de l'ère chrétienne émettent la prétention d'enfermer la femme dans une sorte de carcan vestimentaire et qu'ils s'en prennent plus précisément aux fards et aux ornements dissolus. Le noir dont les coquettes se badigeonnent les yeux, le vermillon dont elles se barbouillent les joues, les pommades dont elles s'enduisent la peau font l'objet d'une fulmination en règle. « Le fard est un art sacrilège inspiré par Satan [20]. » Il est une insulte au Créateur de toute chose dont il dénature l'œuvre originelle. N'altère-t-il pas « la couleur que Dieu a donnée aux femmes [21] » ? Pour saint Clément d'Alexandrie, les femmes qui se fardent ruinent et ravagent leur beauté naturelle en lui substituant une beauté étrangère [22]. En vérité, une telle pratique n'est que le triste apanage de ces personnes maudites de Dieu qui montent sur le théâtre. Les autres femmes n'en ont nul besoin. Les jolies ne doivent plaire qu'à leur mari et les laides ne doivent pas s'affubler d'une seconde laideur. La femme fardée n'offre d'ailleurs qu'un reflet fallacieux d'elle-même. Elle ressemble proprement à cette vache qu'un peintre avait représentée avec tant de naturel qu'un taureau s'était précipité sur la peinture [23].

Les parures d'or et d'argent inspirent la même indignation. Symboles d'inutilité, elles cristallisent la vanité des femmes. La passion des métaux précieux et des bijoux est aussi une passion sacrilège, car Dieu interdit l'extraction de ce qu'il a caché dans les entrailles de la terre [24]. Aussi les femmes s'en servent-elles non seulement pour plaire aux hommes, mais encore pour satisfaire les caprices du diable [25].

Quant au carcan vestimentaire, il est conçu par Tertullien comme un juste châtiment. Car « si la femme savait l'horreur de son péché, elle s'habillerait de haillons pourris et se vautrerait dans la poussière et dans les larmes [26]. Aucune parcelle de son corps ne devrait paraître à la lumière du jour et, à l'image des païennes d'Arabie, elle devrait se retrancher derrière un voile qui tombe jusqu'au dernier de ses cheveux [27] ».

En définitive, la femme est conforme à l'idéal des Pères de l'Église et des premiers théologiens du christianisme lorsque ses yeux se parent de modestie et sa bouche de silence, lorsque ses oreilles ne laissent filtrer que des paroles de Dieu et que le joug de Jésus s'attache à sa gorge [28]. Et pour être sûre de plaire à Dieu, elle devra, selon les conseils de saint Cyprien, « rechercher le couronnement de la gloire en souffrant qu'on la brûle, qu'on lui tranche la tête, qu'on la jette aux fauves. Ce sont là, précise ce père, les plus riches joyaux de la chair et les meilleurs ornements du corps [29] ».

La bataille du sein.

C'est dans une atmosphère saturée de patrologie obsessionnelle que le XVIIe siècle est devenu un grand siècle de pornographie sacrée. Mais si l'érotisme flamboyant qui se dégage des sermons prononcés par toute une cohorte de prédicateurs bigots présente d'évidentes affinités avec l'esprit patrologique, il faut reconnaître que les orateurs de la période moderne se sont montrés beaucoup plus explicites dans la dénonciation du corps féminin. Au fond, leur discours constitue un exutoire privilégié où la chair, intensément ressentie, fait figure d'objet de convoitise et non d'épouvantail. Car la nudité féminine est l'une des grandes spécialités ecclésiastiques du xviie siècle. Inlassablement, elle revient dans les propos des Polman, des Boileau, des Juvernay, des Bouvignes... Et ces propos, il faut bien l'avouer, donnent plutôt envie d'en tâter que de fuir. Sans doute les paroles désobligeantes fusent-elles. Mais derrière cette façade misogyne d'une austérité maladroite se cache une libido brouillonne faite de jubilation et de désespoir.

Parmi les objets qui ne sont point en odeur de parfaite sainteté et qui stimulent la pieuse fulmination des bons prédicateurs, le sein occupe une place de choix. Le phénomène est relativement récent, et, de tous les Pères de l'Église, saint Jean Chrysostome est le seul, semble-t-il, à avoir dénoncé ce corps de baleine dont se servent certaines femmes pour presser les mamelles et les mettre en évidence [30].

Il faut dire que la mode du xviie siècle ménage au sein d'audacieuses exhibitions. Les robes décolletées alors désignées sous le nom de « robes à grant gore » ont victorieusement conquis droit de cité et la plupart des femmes d'alors :

> ... Aiment mieux avoir le sein ouvert
> Et plus de la moitié du tétin découvert [31]...

La nudité des seins avait bien suscité quelques escarmouches sans lendemain dès la fin du xve siècle, et Olivier Maillard comme Ménot s'étaient déjà attaqués à ces femmes « qui montrent leur belle poitrine, leur cou, leur gorge, et viendraient mourir en cet état [32] ».

Mais c'est sous l'influence de la Réforme que le profil d'une réaction commence à se dessiner. Sans doute le sein n'en est-il pas la cible initiale, mais, lorsque, en 1551, un ami de Calvin s'en prend expressément à la mamelle dans une *Chrestienne Instruction touchant la pompe des femmes dissolues,* il déclenche une offensive de grand style contre

41

« la descouverture des tétins ». Insensiblement, les catholiques prennent d'ailleurs la relève. Bientôt, ils occupent tout le champ de bataille et ce sont eux qui, en stratèges consommés, montent en première ligne.

Dès 1617, une brochure anonyme, *la Courtisane déchiffrée,* ouvre le feu contre la femme « lascive » qui, « semblable à ces lamies découvre sa gorge et ses tétins pour attirer à elle qui lui plaist et l'ayant ainsi charmé par cette beautée le rend infame ». Idée à laquelle le chanoine Jean Polman donne une extension majestueuse dans un recueil de sermons virulents :

> Les mondains, les charnels, les enfans de Babylone dardent des regards lascifs vers le blanc de ceste poitrine ouverte ; ils lancent des pensées charnelles entre ces deux mottes de chair ; ils logent des désirs vilains dans le creux de ce sein nud ; ils attachent leurs convoitises à ces tertres bosseux ; ils font reposer leur concupiscence dans ce lit et repaire de mamelles et y commettent des paillardises intérieures[33].

Cette tenue débraillée convient davantage aux prostituées :

> Ainsi faisoit cette infame paillarde et vilaine Messaline qui, abandonnant la chambre et la couche impériales, alloit, sous le nom de Lysica, fameuse courtisane et trotteuse effrontées, se prostituer au bordel en habit de putain, à sein descouvert et tétins nuds[34]...

Le père Louis de Bouvignes se montre avant tout préoccupé par le salut de l'âme des malheureux qui se laissent innocemment séduire par la beauté d'un sein. « Je suis confus, dit-il à une courtisane platonique, quand je vous regarde découvrant ainsi votre bras, montrant votre col et prostituant votre sein qui est incessament battu et rebattu par les regards lascifs des hommes sensuels[35]. » Et le père de Barry compare cette « vanité de gorge » à une « peste portative et un venin qui empoisonne de loin quand on jette les yeux dessus ou qu'on touche » et qui répand autour d'elle un mal incurable[36].

Avec Pierre Juvernay et Jacques Boileau, le fléau prend des dimensions dramatiques. Ces deux ecclésiastiques voient des seins partout : à la « saincte communion » où les prêtres se montrent le plus souvent « niais, papelards, flatteurs » et complices, aux processions ou durant la quête, où « l'on voit des questeuses tellement débraillées qu'on les prendroit pour de vrayes comédiennes, des farceuses et des mascarades ». Et pour comble d'indécence, remarque Pierre Juvernay, voilà que les mondaines se mettent à porter « une croix ou l'image du Saint Esprit pendue au col… En quoy elles feroient beaucoup mieux d'y porter l'image d'un crapaud ou d'un corbeau, attendu que ces animaux se plaisent parmy les ordures[37] ».

Jacques Boileau exprime les mêmes phobies dans son *Abus des nudités de gorge* (1675). « Ce n'est pas seulement dans les maisons particulières, dans les bals, dans les promenades, dans les ruelles que les femmes paroissent la gorge nue ; il y en a qui, par une audace incroyable, viennent insulter à Jésus Christ jusqu'au pied des autels. » Et, dans un soupir déchirant, notre prédicateur se penche avec compassion sur le sort pitoyable de ces hommes que de telles audaces mettent dans le plus grand péril. Car les hommes sont « ignorens et justes », mais « chancelans dans la vertu[38] ».

Quelques moralistes se réjouissent même des déconvenues qui surviennent aux coquettes débraillées. Ainsi, s'exclame le sieur de La Serre, « voyez cette éventée, elle n'a rien de beau que le sein et en fait parade effrontément, comme si le reste du corps étoit à louer ou à vendre. Oh qu'elle doit être honteuse à la fin du jour quand elle se voit contrainte de fermer sa boutique, sans avoir trouvé un seul admirateur de sa marchandise[39] ».

Les conséquences tragiques de « la descouverture des seins et tétins » inspire même un frétillement sadique au père de Barry :

> Les seins ne sont pas deux petits fumiers couverts de neige, mais deux livres de chair qui coutent bien cher à ces friquètes qui en font parade et qui croient estre plus belles et plus agréables...
>
> Car leur poitrine se refroidit par une longue nudité, les fluxions y tombent et s'y arrêtent quelque-fois, et ensuite, voilà la mort. Une jeune demoiselle âgée de vingt et trois ans mourut quasi soudainement : les médecins la firent ouvrir et ne trouvèrent autre cause de sa mort que la poitrine refroidie...
>
> J'en ai vu mourir une autre qui n'avait que sept ou huit ans environ, mais qu'on accoutumoit déjà d'avoir la poitrine découverte, ma pensée fut que le froid avoit saisi cette petite poitrine découverte, et que Dieu, par sa bonté, l'avoit retirée de ce monde à bonne heure, pour luy oster les occasions de continuer dans les vanités [40]...

En marge d'un sein conquérant qui mobilise une grande partie des énergies oratoires du XVIIᵉ siècle, une multitude d'indécences accessoires excite jusqu'à l'aigreur l'éloquence des prédicateurs bigots.

Les indécences accessoires.

La bataille du sein s'inscrit effectivement dans un mouvement de grande envergure qui vise à retrancher la femme du concert social. Pour les misogynes inavoués, elle est comme « un lys qui ne se conserve pas bien au milieu des campagnes, exposé à la mercy des bestes et des passans ». Il lui faut « un jardin bien clos ». Mesdames, s'écrie Claude Maillard, « vous avez une liqueur prétieuse qui est la pudicité, mais elle est dans des vases extremement fresles... La femme qui trotte de maison en maison est difficilement pure [41] ».

Pour les francs misogynes, la femme est de nature une « trotteuse » invétérée dont l'impudence est sans limites dès qu'elle met les pieds dehors. D'où la prudence des anciens Égyptiens qui interdisaient aux femmes de porter des chaussures et la coutume chinoise qui consiste à provoquer l'atrophie salutaire des pieds féminins. Mais il faut par-dessus tout méditer l'exemple de ces femmes d'Arabie et de Turquie qui ont l'honnêteté de se couvrir le visage[42]. Jean Polman ne s'en prend pas seulement à la nudité des seins. Il préconise aussi le port du voile à l'orientale dans toute la Chrétienté. L'exhibition du visage n'expose-t-elle pas la jeune vierge...

> ... à toutes sortes de regards et d'œillades qui s'efforcent de faire bresche à sa pudicité ? Par la prostitution du visage on fait l'apprentissage de la prostitution du reste du corps. De là vient que celles qui n'ont pas voulu couvrir leur teste ny cacher leur face, sont après contraintes de cacher leur ventre qui grossit à leur honte et infamie insupportable[43].

L'abbé de Vassetz dénonce le luxe des coiffures[44], tandis que le père de Bouvignes s'en prend plus précisément aux perruques, « chevelures qui peut-être autrefois ont appartenu à quelque teigneuse ou à quelque pestiférée ». Pour l'abbé Hilaire Dumas, les dorures sont « les livrées de l'impudicité » qui « ouvrent les chemins aux concupiscences criminelles des hommes impudiques et tendent des pièges aux yeux et aux cœurs les plus purs et les plus chastes ». Aussi devrait-on promulguer quelques bonnes lois somptuaires n'autorisant qu'aux seules reines et princesses le port des bijoux[45]. Pierre Juvernay et le père de Bouvignes dénoncent en termes cinglants ces mouches qui ornent le visage des belles. A vrai dire, le premier ne s'en soucie guère, cette coquetterie les enlaidit. Mais le second s'alarme de ce que ces mouches « piquent ceux qui les ont veue, éveillant en eux l'aiguillon de la chair ». Circonstance aggravante, les courtisanes « mettent sur leur mamelle et sur leur gorge des mouches pour les faire paroistre plus blanches », ce qui porte la jubilation de Satan à son paroxysme puisque Belzébuth veut dire, comme chacun le sait, *deus muscarum*, c'est-à-dire *dieu des mouches !*

Les danses contiennent le germe d'un mal encore plus pernicieux. Il faut dire que, dès le XVIe siècle, elles s'accompagnent de ces *cabrioles* ou *caprioles* dans lesquelles les plus austères ne voient que déhanchements lubriques et mouvements lascifs. Ce sont les protestants qui, les premiers, dénoncent le scandale dans une curieuse brochure anonyme. Les danses ne seraient que...

> préparatives de paillardise, boutiques et marchez de maquereaux... « Les filles s'y adonnent » pour estre chatouillées de plusieurs « tandis que la vierge court le risque d'être » violée et dépucelée par continuation de bourdelage et par paroles et attouchemens de sa poitrine, par chastouillemens, plaisanteries et par tant de gestes impudiques qu'ayant veu et prins plaisir à telles choses, enfin y sera attrapée[46].

L'anathème se concrétise dans l'ouvrage hautement spécialisé de Tailhant, *Jugement contre les danses* (1693). Pour ce docte théologien, l'étymologie est déjà bien accablante en soi. Car « danser vien de Dan » que Jacob compare au serpent. A la lumière d'une information de si grand poids, la vérité saute aux yeux : « Danser, c'est imiter Dan ; aussi voyons-nous que ceux qui dansent font comme des serpents ; ils tordent leurs corps par des postures et par des tours et détours, et se suivent en serpentant les uns les autres. » Des raisons bien précises nous commandent de fuir ces bourbiers de paillardise. Fin connaisseur, Tailhant énumère chacune de ces raisons : « La danse est défendue à cause des baisers... du mauvais usage des mains... à cause des regards qu'on y donne... à cause des sauts, des postures... à cause des paroles à double sens... »

Et que penser de cette mode indécente des laquais qui, poursuivant le révérend père de Barry jusqu'à l'obsession, lui inspire un discours délirant de naïveté ?

Estant à Lyon l'année passée, je rencontrois une jeune demoiselle de dix-huit ans suivie d'un laquais d'environ le mesme âge, et je dis, cela n'est point beau ny bien-séant...

Ce mesme jour, je rencontrois une jeune bourgeoise sur le pont du Rhosne accompagnée d'un laquais qui portoit son parasol. Ce laquois avoit bien la mine d'avoir dix-huit ans et je dis : voila qui n'est point beau ny bien-séant...

Passant par une rue proche du change, je rencontrois une jeune demoiselle qui passoit par là, et trois petits laquais qui la suivoient. Chacune avoit le sien. Un cadet de mes amis me dit : "Voyez ce joli petit laquais qui est au milieu, je sais de bonne part que sa maistresse, qui est l'une de ces trois, luy fait tant de caresses et le baise tant, que vous diriez qu'elle est amoureuse de cet enfant." Et je dis encore : cela n'est point beau ny bien-séant[47].

Ainsi, la volonté de refouler la femme dans un univers marginal passe par un discours où le thème privilégié de la chair traduit le trouble des esprits. En vérité, l'opérateur qui flétrit le sein et le théologien qui fulmine contre les danses impudiques communient dans une même expérience qui les maintient en contact intellectuel étroit avec le fruit défendu. Fruit d'autant plus dangereux que rien, dans la vie quotidienne d'une « mondaine », ne permet de penser qu'elle tient compte des avertissements lancés par les prédicateurs.

La vie quotidienne d'une courtisane.

A coup sûr, quelque chose fascine dans l'existence de la « mondaine », de cette « courtisane » qui n'est pas forcément une prostituée au sens propre du terme mais bien plutôt une coquette qui rêve de plaire à ses amants et de les perdre. Elle s'identifie, dans le langage des théologiens, à toute femme un peu jolie. L'évocation à la fois hargneuse et nostalgique de cette créature dangereuse mais toujours fraîche et pimpante est l'un des témoignages les plus éloquents de la sensibilité de nos stratèges du refoulement. Les descriptions de La Serre et des pères Bouvignes et Rolet nous donnent une idée assez précise de la journée de l'une de ces égéries empoisonnées qui hantent les esprits des prédicateurs[48].

La mondaine dort beaucoup, quoique, à vrai dire, il n'y ait « point d'action plus inutile dans la vie que celle de dormir[49] ». Elle s'éveille vers dix ou onze heures. On lui sert du bouillon et des œufs frais. C'est grâce à ce régime composé par ailleurs « de viandes exquises et délicates » que les coquettes deviennent « fraiches, regorgeantes de graisse et reluisantes comme l'ivoire[50] ». Commence ensuite le cérémonial capital de la toilette et du fard. De lui dépend le succès de la journée et le nombre d'amants précipités dans le gouffre de la luxure. Devant notre courtisane, voilà l'étalage complexe « des pots à pommade, des boites à poudre, des fioles à eau distillée, des papiers à vermillon ». La savante manipulation de tant d'artifices demande des heures, mais peu à peu, à travers une étrange métamorphose et comme par enchantement, la pourriture originelle se transfigure et devient séduction incarnée. La pommade de senteur chasse « l'infection » des joues, la poudre élimine la graisse des cheveux, le visage « basané » blanchit après avoir été traité à « la fontaine de l'alambic ». Et c'est ainsi que le teint cadavérique s'estompe derrière une blancheur liliale[51].

Notre coquette est sur le pied de guerre. La voilà prête à exercer ses ravages. Elle sort. « Quand elle voit un jeune homme de bonne mine... elle le fait tomber au piège avec un seul clein d'œil... avec un geste attrayant. » Parfois, « elle chasse avec le cœur qu'elle envoie pulvérisé dans un poulet, lequel en cette façon a tant de force, qu'il prend et attrape l'ignorant qui le reçoit[52] ».

Surtout, c'est par sa présence à l'église qu'elle met ses charmes à l'épreuve. D'un geste timide, elle plonge le doigt dans le bénitier et le porte délicatement, non pas au front, pour ne pas effacer son fard, mais derrière l'oreille. Après quoi, « vous la voyez aller avec des démarches insupportables de vanité », prendre « place à côté du prêtre au lieu le plus éminent afin de faire voir plus facilement sa marchandise ». Tous ses amants sont là, « pour contempler cet objet d'impudicité ». On lance des œillades, on tient des propos lascifs. Le prêtre agite sa clochette pour détourner les yeux et les oreilles de cette courtisane débauchée. On se lève, on entonne le Pater Noster, mais notre mondaine reste muette, « masque » et « muselière » figés, de peur que le « plastre » ne s'effrite[53]. Le père Louis de Bouvignes a lui aussi observé ces « créatures qui roulent journellement dans les maisons de Dieu... Leurs têtes ont moins d'arrêt que des girouettes » et, « sans la clochette qui rappelle leurs esprits égarés pendant la messe, elles ne porteroient presque jamais la veue sur l'Autel ». Après l'office, toute coquette qui se respecte reste à l'église pour « s'entretenir avec ses mignons ». L'après-midi est consacré à la promenade, au bal ou à la comédie.

Le soir, la courtisane rentre chez elle. Elle néglige son mari, va tout droit « rendre compte à son miroir des progrès » dont elle s'est rendue maîtresse. Madame est servie. Mais à l'instant, « elle commande que le cocher se diligente de dîner » pour tenir prêts les chevaux, carrosses, afin de retourner après dîner aux assignations données ». Et les ressorts de sa malice et de sa ruse sont de nouveau à l'épreuve[54].

Avant de se coucher, elle interroge une dernière fois son miroir et absorbe un verre de lait d'amande afin de s'endormir du plus profond sommeil[55].

Mais patience, l'heure du châtiment va bientôt sonner !

Châtiments !

Avec de pareilles créatures, il ne devait pas être toujours désagréable de chanceler dans « l'enfer » de la perdition.

Mais voilà ! Les prédicateurs bigots sont exclus du concert de ces amants qu'embrasent une œillade ou un poulet. Aussi leur discours présente-t-il toujours deux versants, l'un consacré à l'illusion, l'autre à la réalité. Et c'est dans les aspects les plus sombres de cette réalité que les stratèges du refoulement recherchent une piètre consolation. Oui, à y voir de plus près, ces glorieuses courtisanes ne forment qu'un amas de pourriture.

> Ces riches tailles ne sont qu'une liaison et un affreux assemblage d'os pourris, de nerfs et de tendrons pleins d'infection...
> Les cheveux frisez sont des excrémens de nature antez dans un terrouët plein de poux et de vermine...
> Le teint délicat n'est autre chose qu'un morceau de peau blanche, collé sur le sang qui parfois devient noir, livide et si désagréable qu'on ne l'ose regarder...
> Le nez, la bouche, ne sont-ce pas deux cloaques de pourriture, dont l'infection sort à tout moment[56]...

Sans doute les mondaines brillent-elles en société, mais derrière un extérieur d'éclat, la courtisane offre l'image d'une déliquescence impitoyable.

> L'une vous tiendra un mouchoir à la main pour mettre dehors une partie de la pourriture qu'elle a dedans ; l'autre sera contrainte en compagnie de se mettre du côté de la cheminée pour cracher à son aise l'infection qu'elle a en son sein... Celle cy n'ôtera jamais ses gands, de peur qu'on ne voye la galle de ses mains[57]...

Mais c'est la vieillesse, si complaisamment évoquée dans la littérature et dans l'iconographie misogynes des XVIe et XVIIe siècles, qui porte la jubilation à son comble. Et pour cause. En un instant, écrit Rolet, «ces têtes élevées en frisures et bigarrures tombent aux pieds... Ces fronts seillonnez et qui ont tué tant d'âmes de leurs traicts envenimez, deviennent hideux, haves, enfoncez et creusez comme des nids de vers[58]»... L'étiolement de la femme et la désagrégation de son pouvoir de séduction consacrent le triomphe sadique des prédicateurs bigots. La vieille femme fait l'objet d'un acharnement d'autant plus cruel qu'elle est désormais privée de ce qui fit sa seule force : le charme. Se substituant cruellement à son rayonnement physique, les vices dont on l'affuble avec tant d'ignominie sont en fait l'expression d'une vengeance attendue de longue date et enfin assouvie.

Et que dire de la mort, encore plus inexorable et plus réconfortante que la vieillesse, puisqu'il lui arrive de frapper dans la masse resplendissante des mondaines au sommet de leur gloire et de s'en prendre à la racine d'un mal en pleine vitalité. C'est ici que le discours nécrophilique du prédicateur bigot révèle au grand jour l'un des aspects les plus morbides de sa personnalité refoulée. La Serre invite plaisamment l'une de ces courtisanes qu'il flétrit à laisser son imagination vagabonder sur le lit où son cadavre repose : « Vous voilà étendue de votre long dans les mêmes draps qui vous serviront peut-être de suaire... Considérez ce puant qu'on porte en terre... Vous courrez après lui, il vous devance d'un pas seulement[59]. »

Rolet se réjouit à la seule idée de la macabre histoire qui survint au cadavre d'une mondaine qui, hier encore, embrasait de ses regards une cohorte de mignons. Après avoir rendu le dernier soupir, les prêtres et les membres de la famille qui veillaient la défunte passent dans la pièce voisine pour y prendre un rafraîchissement en attendant que le corps se refroidisse. Soudain, on entend un grand bruit dans la chambre mortuaire. Le lit venait de basculer et le cadavre offrait un spectacle hideux. « Ces cheveux qui avoient esté tant poudrez, peignez et frizez, estoient écarts çà et là ; les yeux tous ouverts aussi grand que le dedans de la main, la bouche fendue jusques aux oreilles, et sa langue noire comme encre, tirée et longue d'un demy pied[60]... »

Mais c'est lorsqu'il exhorte les amants à la contemplation

51

de cette charogne qu'ils ont idolâtrée à l'heure de son triomphe terrestre que le romantisme noir de Rolet est porté à son paroxysme :

> Entrez en la sépulture et prenez la carcasse de cette belle dame : considérez-la de fort près et regardez le lieu de la cervelle et vous verrez qu'elle est toute vide, non seulement de cervelle, mais de sentiment.
> Demandez luy où sont les doux et charmants concerts, ces conversations impudiques et deshonnêtes... parlez à cette bouche qui a donné et reçu tant de baisers et qui a tant mis dehors des paroles sales...
> Courtisans, voicy ce que vous avez aymé... Hé, combien de fois avez vous aymé et embrassé ces carcasses... N'êtes vous pas honteux d'avoir fait l'amour à ce qui est si hideux, et d'avoir soupiré mille et mille fois après cette terre puante ? N'êtes vous pas jaloux que les vers possèdent l'objet de vos affections ? Vous voyez, en votre présence, ils se soulent d'une partie que vous avez tant adorée, et de l'autre, ils en font du fumier [61].

Contre ce discours de la hantise et de la haine, contre ces esprits triturés par leurs phobies s'élabore pourtant une doctrine ouvertement et souvent violemment féministe. Flétrie, dégradée, vilipendée, humiliée par certains, la femme n'en fait pas moins par ailleurs l'objet d'une exaltation sans concession. Sabrant de façon cinglante dans l'idéologie misogyne et dépeçant sans pitié les arguments de leurs adversaires, des philosophes s'érigent en partisans acharnés de la femme. Féministes, ils le sont. Du moins se présentent-ils sous ce jour. Mais peut-on parler de féminisme aux XVIᵉ et XVIIᵉ siècles et dans l'ordre des mentalités, de quel féminisme s'agit-il en l'occurrence ?

3

Féministes ou
pseudo-féministes ?

Ainsi, en dépit de l'existence et de l'exploitation souvent spectaculaire de thèmes misogynes savamment orchestrés par toute une pléiade d'écrivains atrabilaires, de plumitifs cacochymes ou de prédicateurs dévergondés, un constat s'impose : les « féministes » demeurent les plus nombreux, et de loin, semble-t-il.

Dès le XVIe siècle, la femme suscite une foule de commentaires complaisants et de métaphores ensucrées.

C'est en 1542 qu'Héroët consacre son aimable poème, « La parfaicte amye », à la « pure et honnête amitié ». Sur un mode doucereux, « La parfaicte amye » nous chante ses raisons d'aimer et d'être aimée. Apologie à la gloire du beau sexe, l'œuvre est aussitôt réfutée dans « L'amye de court » (1543), où La Borderie limite le rayonnement de la femme à la coquetterie, à l'artifice et à une certaine sensualité cynique. Nombreux sont ceux qui, aux côtés d'Héroët, s'érigent alors en défenseurs des femmes : Charles Fontaine, dans « La contre amye de court », Papillon, dans « Le nouvel amour », Billon, dans « Le fort inexpugnable de l'honneur féminin », et Maurice Scève, dans « Délie, objet de haute vertu ».

Mais le féminisme du XVIe siècle demeure essentiellement passif, et l'auteur anonyme du *Triomphe des dames* (Rouen, 1599) résume bien l'opinion du temps lorsqu'il s'écrie à

53

l'adresse des femmes : « Que cela vous serve non d'épée, mais de rondelle. Je n'entends ni attends que vous en offenssiez, mais seulement que vous en repoussiez l'insolence de ceux que la témérité transportera à procurer à votre avantage [1]. »

C'est pour tenter d'endiguer le venin distillé par les nouveaux misogynes que le mouvement prend une dimension toute nouvelle et une tonalité beaucoup plus incisive au XVIIᵉ siècle. Peut-on dès lors parler de « féminisme » sans verser dans l'anachronisme ? Car la connotation moderne du concept féministe est étrangère à la sensibilité de l'âge classique. Le mot lui-même ne fait son apparition dans notre vocabulaire qu'au XIXᵉ siècle. Jusqu'au XVIIIᵉ siècle, on parle encore de « partisans des femmes » ou de « défenseurs du sexe ». Mais, pour des raisons de commodité de langage, nous sommes bien forcés de recourir au terme moderne, non sans savoir qu'il recouvre en l'occurrence une réalité bien spécifique.

Quelle est, en effet, la signification d'un féminisme érigé en genre littéraire, confiné dans une structure académique ou voué à l'apologie systématique de la beauté des femmes ? En dehors de quelques grandes figures bibliques, historiques ou aristocratiques, point de salut ! En dehors du sacrifice, en dehors du martyre, point de grâce ! C'est à ce prix que la femme acquiert ses titres de noblesse. Et cette exaltation élitiste s'exprime parfois à travers un style baroque qui ne manque pas de saveur.

Le féminisme baroque.

Rien ne différencie au fond la tournure d'esprit du féministe de celle du misogyne. Tous deux encensent et accablent avec la même rigueur et sans la moindre nuance. Tous deux étayent leurs convictions tout en évoquant telle ou telle figure de monstre ou de divinité. De cette représentation manichéiste des sexes, on a banni le juste milieu, et les quelques auteurs capables de doser les qualités et les défauts des espèces antagonistes avec un certain sens des nuances relèvent d'une espèce rarissime. Encore certaines prises de position sont-elles entachées d'ambiguïté, en sorte que les féministes les plus acharnés n'en laissent pas moins filtrer, çà et là, à l'image du père Le Moyne, d'étonnants aveux misogynes. C'est ainsi que dans sa volumineuse *Galerie des femmes fortes*[2], cet érudit compilateur reconnaît que « les vices seroient rares parmy les hommes si les femmes, dont naissent les hommes, étaient toutes sages ». Théophraste Renaudot souligne, dans sa 106e conférence, combien il est « expédient aux femmes d'être savantes », mais c'est en raison de cette « même vivacité qui se voit en leur babil et en leurs artifices, intrigues et dissimulations[3] ». Et lorsque le capitaine Vigoureux vante et prône la soumission naturelle des femmes, il ne fait que reprendre à sa façon l'un des thèmes favoris des misogynes viscéraux.

Tout comme les misogynes, les féministes assortissent leur doctrine des sophismes les plus étranges, les plus inattendus, aussi. Chez L'Escale, comme chez tant d'autres, l'atmosphère est saturée de baroque. Pour montrer que les hommes sont en fait plus loquaces que les femmes, il rappelle sans scrupule que Dieu se servit de terre pour façonner le premier homme. Or, « d'où sortent les vents qui font tant de tintamarre, si ce n'est de la terre ? Ne produict-elle pas tous les métaux dont on forge les trompettes, clairons, sacquebuttes, trompes, arquebuses, pistolets, carabines... n'engendre-t-elle pas le salpestre et le soufre, dequoy avec le charbon, on compose ceste bruyante et terrible poudre, qui fracasse les tours, abbat les villes ? ». D'ailleurs, « il n'y a jamais eu femme qui ait tant parlé, et en si peu de temps, qu'ont faict Démosthène et Cicéron ». Oui, le discours des six femmes les plus babillardes n'est guère plus prolixe que celui « proféré en une seule matinée par ces deux harangueurs[4] ». Pour Honorat de Meynier, on ne saurait traiter la femme de « gosier babillard » puisque « les gosiers ne babillent pas » et que « c'est de l'abondance du cœur que la bouche parle[5] » !

Henri Corneille Agrippa veut-il se convaincre de la pudicité des femmes ? Il lui suffit de constater que « leurs cheveux croissent assez pour couvrir toutes les parties de leur corps que la pudeur veut qu'on cache », qu'« elles peuvent satisfaire aux besoins de la nature sans toucher ses parties, ce qui n'est même pas dans l'homme. De plus, la nature paraît avoir voulu ménager la pudeur de la femme, en cachant et en refermant au dedans ce qui paraît au dehors dans l'homme ». Aussi la femme est-elle plus proche de la divinité que l'homme. Sa façon de tomber en est la marque tangible car elle tombe toujours à la renverse, les yeux tournés vers le ciel. Moins céleste, l'homme tombe avec vulgarité, sur le ventre, face contre terre[6].

Pour Alexandre de Pont-Aimery, la sensibilité de la femme est supérieure à celle de l'homme. « Les lyons, les ours et les tigres ne pleurent jamais, car la rage leur est familière... » Mais comme les éléphants et les chevaux, « la femme est subjecte à pleurer, et principalement celle en qui on recognoit la douceur[7] ».

Dans leur zèle, ces féministes finissent par se dépouiller de toute crédibilité en s'embourbant dans d'étranges analogies. L'Escale ose prétendre que « l'homme est à la femme ce que le cheval est à son maître » et que « tout ce qui est au dessous de la voûte étoilée a été créé pour son service[8] ». Le Moyne réfute la prétendue supériorité des hommes sur les femmes en invoquant les astres. « Il y a des astres qu'on appelle masles, il y en a qu'on appelle femelles, ceux-ci ne sont pas moins réglez ni moins actifs que ceux-là, ils n'ont pas moins de lumière ni ne sont conduits par une moins parfaite intelligence[9]. » Et pour d'autres, il y a de multiples affinités entre l'abeille et la femme : « Elle s'en va donc, portée par dessus ses petits aislerons, deçà, delà, par les bois, prez et jardins, ou s'assoyant sur toutes sortes de fleurs et boutons, elle n'en tire, chose estrange ! rien que du miel, qu'elle rapporte après en sa ruche [10]. »

Mais c'est la séduction qui émane de la femme et le discours qu'elle suscite qui constituent, à travers l'exaltation de sa beauté et de sa perfection, les principaux piliers du féminisme baroque.

La femme exaltée.

Cette exaltation procède en fait d'un féminisme académique plus théorique et littéraire que réel et profond. Pour L'Escale, les femmes forment une « agréable espèce », « une trouppe divine ». « Vous estes, leur dit-il, le chef d'œuvre de Dieu, le modelle de la perfection, l'image de la divinité, le miracle de la nature, l'abbrégé du ciel et l'ornement de la terre [11]. »

En 1552, un Vénitien, le Ruscelli, se lance dans une série de spéculations sublimes au terme desquelles on acquiert la certitude que la contemplation de la beauté féminine peut à elle seule rendre l'homme heureux sur terre. Remarque d'autant plus incisive qu'elle fait figure d'offense cinglante dirigée contre ceux-là mêmes qui ne voient dans la beauté de la femme que le piège de Satan. Et pourtant, englué dans un académisme mielleux, ce discours nous laisse de marbre. Conçu en termes précieux, il fait passer la polémique au second plan. C'est en 1509 que l'Allemand Henri Corneille Agrippa publie, l'un des premiers, un traité *De l'excellence des femmes* qui restera un ouvrage de référence et un modèle du genre encore imité deux siècles plus tard. Mais comment être touché par la représentation d'une femme « aux joues meslées du teinct de roses et de laict », à la bouche « vermeille comme l'aurore » ? Et comment ces injures qui, sous la plume des féministes viscéraux, se déversent à gros bouillons sur un homme monstrueux, hideux, lubrique, esclavagiste et bâtisseur de bordels, nous toucheraient-elles ?

Mais cette littérature apparemment stérile n'en reste pas moins à bien des égards d'une incomparable richesse pour l'histoire des mentalités. A travers l'apologie de la femme, on y décèle ainsi quelques traces de ce féminisme paternaliste qui annonce déjà une forme très moderne de comportement : encenser pour mieux soumettre. Surtout, réduite à son expression la plus simple, on peut la considérer comme une manifestation très poussée d'élitisme.

Concrètement, seules quelques femmes illustres consacrées par la Bible ou par l'Histoire occupent le devant de la scène, couronnées de lauriers. Pendant deux siècles, c'est à travers toute l'Europe que déferlent par centaines ces ouvrages qui répètent inlassablement les mérites de Judith, de Sarah, d'Esther, de Suzanne, de Jeanne d'Arc et de Catherine de Médicis. Dans son *Essai sur les femmes,* Thomas montre que le mouvement s'est d'abord développé en Italie. La raison en est simple. «Jamais peut-être, écrit-il, on ne vit à la fois tant de princesses éclairées que dans cette partie de l'Europe. Les cours de Naples, de Milan, de Mantoue, de Parme, de Florence, formoient autant d'écoles de goût, entre lesquelles régnoit une émulation de talens et de gloire [12]. »

Et c'est Boccace qui, dès 1473, publie en latin un ouvrage consacré aux femmes illustres. A travers l'histoire ancienne et les textes sacrés, il évoque pêle-mêle les figures de Cléopâtre et de Lucrèce, de Sémiramis et de Sapho, d'Athalie et de Didon. Il tance vigoureusement les veuves chrétiennes qui se remarient et, qui l'eût cru de l'auteur du *Décaméron,* il cite et commente saint Paul à une jeune veuve qui n'a pas su rester aussi chaste que Didon. L'ouvrage connut un tel succès qu'il fut traduit en plusieurs langues et que des érudits, Joseph Betusi et François Serdonati, l'augmentèrent de cent soixante figures.

Après Boccace, Philippe de Bergame (1518), Charles Pinto, Louis Dominichi (fin XVIᵉ siècle) et Jules César

Carpacio (1608) font le panégyrique de plusieurs centaines de femmes. Mais une sorte de record absolu est détenu par Pietro Paulo de Ribera qui entreprend de célébrer *les Triomphes immortels et entreprises héroïques de huit cent quarante-cinq femmes* [13]. A la même époque, un Hollandais, Alexandre van den Busche, consacre un ouvrage aux femmes savantes.

En France, le panégyrique des femmes semble une spécialité ecclésiastique. Un carme, Louis Jacob de Saint-Charles, un jésuite, le père Le Moyne, et deux minimes, Simon Martin et Hilarion de La Coste, s'y consacrent avec ferveur. Mais, à vrai dire, ces moines travaillent loin de tout frémissement féministe ou même « progressiste ». L'exaltation d'une élite n'a rien que de très réactionnaire. Dans le cas présent, la femme ne sert en fait que de prétexte à de savantes recherches. Hilarion de La Coste a trié sur le volet deux cent dix représentantes du « beau sexe... qui ont fleury de nostre temps et du temps de nos pères ». Un seul critère a guidé son choix : la naissance. Seules les reines, les duchesses et les comtesses ont droit de cité dans son auguste monument. Et encore les protestantes n'y sont point admises. S'il ne dit mot d'Elisabeth Ire d'Angleterre, il trouve le moyen d'encenser Marie Tudor qui fit griller quelques centaines de personnes en l'espace de cinq ans [14]. Quant au féminisme du père Le Moyne, il s'apparente davantage au féminisme d'apocalypse.

Le féminisme d'apocalypse.

Les féministes d'apocalypse régénèrent le genre féminin dans un bain de sang. C'est au prix d'une cruelle meurtrissure ou du sacrifice de sa vie à la gloire d'un mari, de la patrie ou de l'honneur que la femme s'immisce, à l'image des femmes de saint Cyprien qui se livrent aux fauves, au sein de l'aéropage des grands héros. Quelquefois, c'est en donnant la mort au terme d'une glorieuse vengeance qu'elle acquiert le même privilège. Triste féminisme! Il implique l'idée d'une souillure originelle dont le rachat coûte bien cher et, constamment, l'on s'en réfère à ces Indiennes admirables qui se font brûler vives sur le bûcher funéraire de leur mari.

Pour Montaigne, toutes les femmes n'ont pas la dignité de ces veuves indiennes. Elles ne pleurent généralement qu'à la mort de leur époux. «Tardif tesmoignage, et hors de saison, soupire-t-il! Elles preuvent plustôt par là qu'elles ne les aiment que morts [15].» Il en est une qui sut pourtant faire preuve d'attachement conjugal. Son mari languissait, «merveilleusement tourmenté de quelques ulcères qui luy estoient survenus ès parties honteuses». Elle lui propose la mort par noyade «comme le plus seur et souverain remède». Pulvérisant ses dernières réticences, elle s'offre au même supplice et, pour éviter que la détermination de l'un des deux ne vînt à faillir, ils se font ligoter ensemble avant de se précipiter dans les flots. Et c'est ainsi que «cette femme abandonna sa vie pour le repos de celle de son mary [16]».

Une vengeance honorable constitue une autre forme de sacrifice. Un gentilhomme gascon poursuit une femme de ses assiduités, en vain! Il la diffame. Elle le tue au milieu d'une «très honorable compagnie». Le parlement de Bordeaux la condamne à la décollation. Et c'est au prix de cette sinistre sentence que la malheureuse se trouve encensée dans le *Paradoxe apologétique* d'Alexandre de Pont-Aimery [17].

Une même ardeur fatale anime les femmes lorsqu'il s'agit de défendre leur pudeur. «On a vu des femmes préférer une mort certaine, écrit Agrippa, plutôt que de se montrer aux chirurgiens pour être soulagées de leurs maux cachés [18].»

Mais c'est surtout le sacrifice des héroïnes historiques qui stimule la veine forcenée des féministes d'apocalypse. L'abbé Du Bosc est fort prolixe lorsqu'il s'agit d'encenser Iphigénie qui sut mourir pour la Grèce, ou d'exalter la résistance des «dames françoises» qui firent le don de leur vie lors du siège de Beauvais par le duc Charles de Bourgogne.

Un jésuite, le père Le Moyne, s'est fait une spécialité de ce genre de féminisme macabre. Son livre, *la Galerie des femmes fortes,* est tout dégoulinant du sang de ses héroïnes. Les têtes s'y débitent à la hache et l'on s'y sectionne les veines avec volubilité. Et le tout, sans la moindre émotion et avec une sorte de détachement et de bon goût suprêmes.

Marianne pose sa tête sur le billot : «Le visage de l'exécuteur n'altère point la sérénité du sien, et la teste lui fut ostée, sans que le front luy paslit, ni que son cœur changea d'assiette...»

Panthée «eust plustot souhaité à son mary Abradate une mort avancée et glorieuse, qu'une vieillesse deshonorée et complète». Son vœu fut exaucé. Elle pleura, «mais de larmes modestes et bien séantes». Là-dessus, «elle s'ouvrit le sein d'une large playe et rendit l'esprit sur la blessure».

Camne se voit contrainte d'épouser Sinorin, l'assassin de son premier mari. La voilà, le jour de ses noces, une coupe de poison à la main. «Elle en but une partie et donna le reste à Sinorin» qui, croyant «gouster les premières douceurs du mariage, y but la mort». Quant à Camne, elle fut fidèle à ses deux époux puisqu'elle les rejoignit volontairement tous les deux dans l'au-delà.

Monime est encore plus subtile : elle devance son mari dans la mort. Vaincu par les Romains, ce dernier lui demande «de l'aller attendre dans l'autre monde... Cette généreuse femme accepte ce barbare testament avec moins d'émotion qu'elle n'avoit consenti au contrat de mariage»...

Et elles sont au nombre de cinquante-deux, ces femmes qui, au fil des six cents pages du père Le Moyne, se couvrent de lauriers sanguinolents. Il faut dire que cet auteur un peu morose part du principe que les femmes doivent être d'autant plus malheureuses qu'elles sont belles et douées de toutes les qualités. Telle est la rançon de leur perfection. «Dieu a voulu qu'elles eussent quelque image de malheur, et je ne scay quoi qui ressemble aux adversitez des personnes dont je parle. » Le libellé de la *Question morale* agitée sur ce thème est significatif : « Pourquoi les femmes les plus parfaictes sont ordinairement les moins heureuses ? » Assurément, la terre n'est qu'une vallée de larmes pour les femmes qui prétendent sortir de l'ordinaire. Mais, en guise de consolation, « leurs épines et leurs maladies sont quelque chose de plus honorable que la douceur fade et croupissante, que la mollesse de mauvaise odeur, où languissent les choses vulgaires ». Dieu les a faites pour la « plus haute et plus lumineuse partie de son palais ». Et parce qu'il les veut toutes pures et sans tache, il les met « dans le feu des afflictions qui les purifie de la rouille et des souillures qu'elles prennent sur terre ».

Dans la logique de ce raisonnement, Le Moyne s'étend avec complaisance sur l'existence maussade de Blanche de Castille. Cette belle princesse ne commence à éveiller son attention qu'au moment précis où son existence bascule dans l'épouvante, le jour même de son mariage. Épouse de Pierre le Cruel, roi de Castille, la voilà trompée à l'heure de ses noces « qui furent plutost une action funèbre ». Elle se retrouve alors l'héroïne persécutée de sa rivale Marie de Padille et d'un magicien juif. Son mari la cloître dans une « petite chambre » où il l'entoure d'espions et de geôliers. Mais le miracle s'opère alors par la transfiguration lumineuse d'une destinée qui semblait vouée au martyre. Blanche « sanctifia sa maison et en fit une maison de prières et de sacrifice ».

Il est facile de discerner, derrière un décor aussi lugubre, les pulsions refoulées d'une libido languissante. De même que la vieillesse et la mort d'une mondaine apaisent le prédicateur bigot, les tourments de la femme parfaite apportent une consolation chagrine au féministe d'apocalypse qui se décharge d'une partie de ce potentiel émotionnel qu'il porte en lui à travers son discours tourmenté.

Les femmes féministes.

Il en existe, et de nombreuses. La plus célèbre, Marguerite de Navarre (1492-1549), a fait l'objet de travaux approfondis [19]. Sœur de François Ier, c'est l'une des personnalités les plus marquantes de la Renaissance. Animée d'une piété qui confine au mysticisme, elle se lance dans l'étude de la théologie. Elle se consacre aussi au droit et à la médecine. Son œuvre maîtresse, l'*Heptaméron*, est un recueil de soixante-douze nouvelles divisées en huit journées. Le grivois y fait bon ménage avec la ferveur chrétienne. La première nouvelle raconte l'histoire de la femme d'un procureur qui prit pour amant l'évêque de Seez d'abord, le fils d'un lieutenant général ensuite, pour le faire assassiner par son mari enfin. Mais, dans un élan de féminisme dantesque, la deuxième nouvelle exalte une muletière d'Amboise qui «aima mieus mourir cruellement de la main de son valet que de consentir à sa méchante volonté». Dans sa huitième nouvelle, Marguerite de Navarre badine sur la mésaventure de Bornet qui avait couché avec sa femme en croyant coucher avec sa chambrière et qui se fit lui-même cocu sans que sa femme en sût rien ! Mais la dix-neuvième nouvelle encense Pauline qui préféra prendre le voile plutôt que de succomber à un amour réciproque mais interdit.

Au-delà de cet étrange amalgame de gaillardise rabelaisienne et de ferveur mystique, on peut s'interroger sur la nature profonde du féminisme de Marguerite de Navarre. Dans la première journée de l'*Heptaméron*, elle renvoie hommes et femmes dos à dos puisqu'elle y traite «des mauvais tours que les femmes ont faict aux hommes et les hommes aux femmes». Et pourtant, remarquent M. Albistur et D. Armogathe [20] : «Quelle n'est pas son ambition, elle veut arracher aux mâles leur masque d'hypocrisie, principalement en matière sentimentale et sexuelle. Elle tente, elle aussi, de détruire la théorie des deux poids deux mesures, cheval de bataille des féministes contemporaines. Elle n'admet pas que l'infidélité féminine soit sanctionnée alors que celle des hommes est regardée avec complaisance. » Malgré tout, Marguerite de Navarre ne cherche pas à renverser l'idéologie dominante et son porte-parole, Parlamente, reconnaît « que l'homme gouverne comme notre chef ». Et, poussant ce principe à l'extrême, « elle admet que la femme est plus faible que l'homme, aussi bien sur le plan physique que sur le plan intellectuel[21] ».

Et que penser de ce féminisme qui, en faisant retomber sur les hommes la responsabilité de la perversion des femmes, en admet implicitement la réalité ? Que penser de ce préjugé qui attribue une plus forte propension amoureuse à la femme qu'à l'homme et qui la rend capable d'aimer jusqu'à l'abnégation un mari « insolent, cruel et frivole » ?

On le voit, le féminisme de Marguerite de Navarre a ses limites. Moins célèbres qu'elle, les Lyonnaises Pernette du Guillet et Louise Labbé voudraient notamment prouver que l'émancipation des femmes passe par les chemins de la connaissance et de la création littéraire, facteur de saine émulation susceptible de stimuler la veine créatrice des hommes. Opinion à laquelle se rallient, quelques années plus tard, Madeleine Neveu et sa fille Catherine qui rayonnent toutes deux dans un salon poitevin que fréquentent d'éminentes personnalités (Scalinger, d'Aubigné, Pasquier)[22]. Quant à la femme du Dr Jean Liébault, Nicole Estienne, elle s'en prend surtout à l'institution du mariage qu'elle stigmatise à travers un vigoureux pamphlet : *les Misères de la femme mariée, où se peuvent voir les peines et les tourments qu'elle reçoit durant sa vie* (Paris, 1595). Étonnante profession de foi de la part de l'épouse du plus grand spécialiste des maladies de la femme de la fin du XVIᵉ siècle !

C'est dans la première moitié du XVIIᵉ siècle que s'illustre une féministe beaucoup plus célèbre, beaucoup plus intéressante aussi, Marie Jars de Gournay, « fille d'alliance » de

Montaigne. L'*Histoire du féminisme français* retrace, à travers la destinée de cette femme, les déboires qui guettaient toute malheureuse indûment fourvoyée dans la République des lettres[23].

Dès son enfance, ses aspirations intellectuelles se heurtent à l'opposition irréductible de sa mère. Elle doit se pénétrer toute seule, en cachette, des disciplines qui lui deviennent bientôt familières. L'alchimie elle-même n'a pas de secrets pour elle. Mais certains y voient déjà une preuve de sorcellerie. Il n'empêche. A Bordeaux, Montaigne lui-même ne dédaigne pas sa collaboration. A Paris, elle se lance dans la politique et dans la mêlée littéraire. Contre le formalisme de Malherbe, elle prend le parti de Ronsard et des auteurs de la Pléiade.

Mais de partout les railleries fusent. Son amour pour les chattes, son féminisme et ses prétentions littéraires font figure de bizarreries. L'épistolier Balzac « se plaint de la lenteur que Mlle de Gournay met à mourir ». Du Perron s'interroge sur sa vertu ; il suffit de la regarder, dit-il plaisamment, pour en être convaincu. Saint-Amant lui dédie un poème, « Le poète crotté ». Tallemant des Réaux, plus venimeux que jamais, raconte comment on lui fit croire que le roi d'Angleterre était du nombre de ses admirateurs et qu'il désirait posséder son portrait. Et c'est ainsi qu'à sa grande surprise, ce roi reçut un jour le portrait et la biographie de la demoiselle. Pourtant, dans une petite brochure parue en 1622, Marie de Gournay a la sagesse de « fuir toutes extrêmités ». En proclamant l'égalité des sexes, elle s'élève contre la prétention de tous ceux qui se disent convaincus de la supériorité de l'homme ou de la femme, et elle dénonce les préjugés qui sont à la racine d'une multitude d'erreurs et de malentendus. Son principe fondamental se résume en une seule phrase : « L'animal humain n'est homme ni femme... à le bien prendre, les sexes étant faits... pour la seule propagation[24]. »

Si les vicissitudes de Mlle de Gournay étaient susceptibles de décourager les aspirations littéraires de certaines femmes, elles furent sans effet, une vingtaine d'années plus tard, sur Anne Marie Schurman[25].

Érudite hollandaise, cette autre figure élevée du féminisme soutient une thèse à Utrecht, à l'âge de vingt-huit ans. Vers la fin du siècle, son biographe, Baillet, exalte son savoir prodigieux dans un discours où l'enthousiasme est seulement tempéré par le protestantisme d'Anne Marie Schurman et sa boulimie intellectuelle. Dans une dissertation sur l'aptitude des femmes à la littérature (1638), elle revendique le droit de chacun à la connaissance. « Puisqu'il est vrai que la sagesse est l'apanage et l'ornement de tout le genre humain... je ne sais pourquoi on voudrait priver les filles du plus beau des ornements du monde. » Mais, après avoir brillé dans les sphères savantes de toute l'Europe, Anne Marie Schurman s'enthousiasma pour un aventurier mystique dont elle partagea l'idéal en militant à ses côtés jusqu'à la fin de sa vie.

A un niveau moins élevé, le féminisme apologétique se retrouve aussi avec quelques-uns de ses aspects les plus médiocres, sous la plume de quelques femmes. Tout au long d'une compilation volumineuse et fade, Jacquette Guillaume démontre que les hommes sont plus cruels et plus stupides que les femmes. Elle exalte Judith, Jeanne d'Arc et Mathilde, duchesse de Mantoue. Dans un univers qu'elle imagine volontiers tourmenté, elle flétrit la cruauté des princes envers leurs sujets, celle des pères envers leurs filles, des garçons envers leurs mères, des frères envers leurs sœurs[26]...

Mais Marguerite de Navarre, Marie de Gournay, Anne-Marie Schurman ou Jacquette Guillaume semblent bien pâlottes en comparaison de la féministe la plus étonnante, la plus subtile aussi, de toute la période classique : Mme de La Fayette.

Un cas : la princesse de Clèves.

Le féminisme de Mme de La Fayette est d'autant plus incisif qu'il se retranche derrière la façade relativement anodine d'une casuistique amoureuse qui se situe à mille lieues du débat stérile et formel sur l'hypothétique supériorité des femmes ou des hommes. En apparence, ce sont d'autres problèmes qui torturent la princesse de Clèves, incarnation littéraire de Mme de La Fayette : doit-elle avouer à son mari les sentiments que lui inspire le duc de Nemours ? Peut-elle épouser, sans transgresser les normes d'une certaine bienséance, ce même homme qui vient de causer la mort de son mari ?

En vérité, le grand roman féministe de la littérature française est aussi un chef-d'œuvre de psychologie. Il met en scène trois personnages qui se complaisent dans une sorte de trituration sadomasochiste. Mais, d'un bout à l'autre de l'itinéraire qui conduit à la mort, c'est la princesse de Clèves qui, animée d'une souveraine maîtrise, tire toutes les ficelles du jeu. Et en s'identifiant à son héroïne, Mme de La Fayette proclame son attachement implicite à la libération de la femme.

Dès le début du roman, Mme de Chartres avait averti sa fille des dangers de l'amour : « Elle lui contait le peu de sincérité des hommes, leurs tromperies et leur infidélité, les malheurs domestiques où plongent les engagements. » Par contre, « elle lui faisait voir quelle tranquillité suivait la vie d'une honnête femme, et combien la vertu donnait d'éclat et d'élévation à une personne qui avait de la beauté et de la naissance ». Ainsi spoliée de tout idéal, la princesse bascule dans le morne univers d'un mariage honorable mais sans amour. « Car Mme de Chartres ne craignit point de donner à sa fille un mari qu'elle ne put aimer en lui donnant le prince de Clèves. » Mais « les sentiments de Mlle de Chartres ne passaient pas ceux de l'estime et de la reconnaissance ». Quant au prince de Clèves, « la qualité de

67

mari lui donna de plus grands privilèges ; mais elle ne lui donna pas une autre place dans le cœur de sa femme ».

Pour la princesse, c'était déjà une façon de se venger et de jeter les bases d'une étonnante destinée de femme libre. Destinée assumée jusqu'au bout avec une fermeté sans faille. Mais cette liberté ne doit pas s'entendre au sens moderne du terme. Son prétexte insidieux, la vertu, s'intègre à merveille dans l'idéal du temps et dans la logique de l'éducation de Mlle de Chartres. Car cette arme redoutable, dont on se sert volontiers pour neutraliser les femmes, se retourne désormais contre ceux-là mêmes qui rêvent de l'asservir à leur passion. Avec son mari, la princesse est de marbre ; à son amant, elle se refuse constamment tout en le retenant dans sa mouvance. Et qu'on n'aille pas parler de frustration sexuelle ! La vie conjugale maussade du XVIIe siècle n'offre guère d'horizon plus exaltant. La princesse, au contraire, voit languir ses amants « à ses pieds ». Avec une cruauté qui frise la perversion, elle dévoile à son mari qu'elle est amoureuse d'un autre homme et elle prolonge le supplice en lui cachant obstinément le nom de son rival. Et dans une surenchère audacieuse, elle s'érige en accusatrice contre ce même mari injustement rendu responsable d'avoir divulgué un secret.

Le sort de M. de Nemours n'est guère plus enviable. Vivant au diapason des humeurs changeantes d'une maîtresse qui distille tour à tour l'espoir et le chagrin, il finit par se cantonner dans une résignation morose et tourmentée.

On aurait tort de ne voir dans ces deux amants frustrés que les victimes d'un monstre sadique et fatal. Leur responsabilité masochiste se trouve pleinement engagée dans ce psychodrame subtil, et l'épanchement larmoyant à travers lequel le prince semble se complaire dans une sorte d'avilissement morbide confirme la réalité du syndrome :

Je suis plus malheureux que je ne l'ai cru et je suis le plus malheureux de tous les hommes. Vous êtes ma femme, je vous

aime comme ma maîtresse et je vous en vois aimer un autre.
Cet autre est le plus aimable de la cour et il vous voit tous les
jours, il sait que vous l'aimez...
Vous aviez donc oublié que je vous aimais éperdument et que
j'étais vôtre mari ?...
Je vous adore, je vous hais, je vous offense, je vous demande
pardon ; je vous admire, j'ai honte de vous admirer...
Je vous aimais jusqu'à être bien aise d'être trompé, je l'avoue
à ma honte...

Mais les comportements ne sont pas figés, une fois pour
toutes, sans nuances ni complexité. M. de Clèves s'érige
parfois en accusateur et la princesse se torture à son tour :
« Ce mari mourant, et mourant à cause d'elle avec tant de
tendresse pour elle, ne lui sortait point de l'esprit. Elle
repassait incessamment tout ce qu'elle lui devait, et elle se
faisait un crime de n'avoir pas eu de la passion pour lui. »
Affliction violente qui se prolongera de longs mois durant !
Pourtant, en déclenchant le subtil mécanisme de destruction
et d'autodestruction, la princesse vouait sciemment son
mari à la mort et son amant au renoncement final. En se
laissant mourir, peut-être accédait-elle elle-même à l'orgasme suprême.

Dans le contexte socioculturel de la fin du XVIIᵉ siècle,
Mme de La Fayette proteste en fait avec une acuité
prodigieuse, subversive et violente, contre l'idéologie nais-
sante qui se concrétise quelques années plus tard en milieu
aristocratique sous la férule de Fénelon et à travers l'idéal
d'austérité de Mme de Maintenon et de Mme Lambert. De
ce point de vue, *la Princesse de Clèves* incarne peut-être
une forme élevée de résistance à ces nouveaux stratèges
chrétiens du renoncement qui exaltent la perfection d'une
femme étroitement confinée dans un espace domestique et
débilitant.

Cas limite, sans doute. Mais il n'est pas unique en son
genre et l'itinéraire de la *carte du tendre* est lui-même semé
d'embûches sadomasochistes.

Car le mouvement des Précieuses, en dépit de ses aspects

les plus burlesques aussi justement dénoncés par Molière qu'ils ont été injustement intégrés dans un mouvement misogyne de grande amplitude, contient le germe de quelques revendications féministes étonnamment modernes. Revendications clairement exprimées dans l'ouvrage novateur de Michel de Pure *la Prétieuse ou le Mystère des ruelles* (1658). Le mariage et la maternité forcés y sont vigoureusement dénoncés, et l'auteur y formule d'audacieuses propositions : l'égalité des rapports de forces au sein de l'institution matrimoniale, le mariage à l'essai et sa reconductibilité annuelle par contrat, l'union libre...

C'est dans le sillage de ce féminisme d'avant-garde qu'il convient de situer l'audacieuse personnalité de Poullain de La Barre.

Un féministe cartésien, Poullain de La Barre.

C'est en 1673 qu'un jeune étudiant protestant en théologie, Poullain de La Barre, publie un *Traité de l'égalité des sexes* dont l'originalité marque une date dans l'histoire du féminisme.

Cet auteur est un féministe authentique et moderne. Il milite avec ferveur pour l'égalité des hommes et des femmes. Dans sa démarche, il adopte une méthode inspirée d'un rationalisme cartésien étendu, pour les besoins de la cause, à un phénomène d'ordre sociologique. C'est dans cet esprit, note Michel Delon, qu'il s'attaque au préjugé sur l'infériorité du sexe féminin. « A partir du doute, ou — suspension d'esprit — et du refus de toute autorité, il reconstruit un savoir neuf sur la base des idées claires et distinctes et sur la connaissance que l'on peut acquérir de soi[27]. »

Rejetant les traditions scolastiques, il se lance dès lors dans une réhabilitation radicale de la femme. Des femmes magistrats, soldats, « généralles », médecins et théologiens ne devraient choquer que les personnes imbues de préjugés [28]. Or ce sont des préjugés « identiques à celui qui fait croire à certains que c'est le soleil qui tourne autour de la terre » qui sont à l'origine du dogme de l'inégalité des sexes [29]. L'un des premiers, Poullain de La Barre donne de l'origine du phénomène une explication historique et rationnelle. Jadis, lorsque « les hommes et les femmes qui estoient alors simples et innocents s'employoient également à la culture de la terre ou à la chasse, comme font encore les sauvages... celui qui apportoit davantage étoit aussi le plus estimé », et le rapport de force fit pencher la balance en faveur des hommes. Le fardeau de la grossesse et de l'allaitement ne fit qu'accentuer cet état de chose [30]. L'inégalité des sexes repose donc à l'origine sur une usurpation de la force physique au détriment de la raison [31]. Marginalisées, les femmes « se jettèrent dans la bagatelle » et en dépit de leur génie propre, elles se vouèrent, par une sorte de réaction de compensation, à l'art de plaire [32].

Deux ans plus tard, Poullain de La Barre publie un second traité à l'intitulé bien déconcertant, *De l'excellence de l'homme contre l'égalité des sexes,* qui infirme explicitement ses prises de position initiales. Contradiction apparente. En vérité, il pousse la rigueur cartésienne dans ses derniers retranchements et ne se livre à sa propre critique qu'en manière de preuve par l'absurde. Sans rien renier de ses options féministes, il a seulement l'intention de donner au public « le moyen de comparer les deux sentiments opposés et de mieux juger lequel est le plus vrai [33] ». Ainsi s'agit-il de prouver dans l'absolu la supériorité masculine par un recours aux techniques cartésiennes d'investigation et de raisonnement. Démarche étrange, dangereuse, peut-être. Poullain de La Barre n'est ni un sophiste ni un scoliaste. Les grandes lignes de ce traité seront reprises et développées au XVIIIe siècle par les premiers féministes paternalistes, eux-mêmes rationalistes et cartésiens à l'école des philosophes :

La prééminence de l'homme est attestée par son extension universelle. Je considère [écrit-il] que tous les peuples de l'un et l'autre hémisphère, les nations les plus sauvages... se trouvent tous d'accord sur la noblesse des mâles... (p. 114).

L'égalité de perfection entre l'homme et la femme n'est pas géométrique, comme celle qui se trouve entre deux cercles de pareille grandeur. C'est une égalité proportionnelle qui répond à celle de deux cercles inégaux en grandeur et égaux en nombres... (p. 132).

L'artifice accompagne la faiblesse parce qu'il supplée au défaut de force, et nous voyons que tous les animaux qui sont foibles, sont plus rusez que les autres... (p. 145).

La foiblesse de la femme la rend peureuse et donc superstitieuse... (p. 147).

La femme capable d'écrire un roman ou un poème est encencée par une foule d'adorateurs. Un homme de lettre est à peine au-dessus de la moyenne. C'est que les femmes inspirées sont beaucoup plus rares... (p. 166).

Les femmes ont le corps mou, infirme, délicat, le visage doux et uni comme les enfans. Elles sont tendres, crédules, opiniâtres, timides, honteuses, badines, folâtres... Elles haïssent, elles aiment aisément, elles pleurent, elles rient, elles crient, elles querellent... (p. 229-230).

Les maris sont obligés d'avoir en cela de la complaisance pour elles, d'éviter, comme de bons pères, tout ce qui peut les choquer... (p. 232).

Sans le savoir, et avec les meilleures intentions du monde, Poullain de La Barre se pose donc en précurseur du Dr Roussel au XVIIIᵉ siècle et du Dr Virey au XIXᵉ. Pratiquement ignoré du grand public, son traité *De l'excellence de l'homme* n'en constitue pas moins une pépinière d'idées novatrices qui consacre une rupture de style décisive dans l'ordre des mentalités. Par la violence de leur discours et la tonalité désuète de leur propos, les misogynes viscéraux et les stratèges du refoulement s'étaient retranchés du monde. L'idéologie de Poullain de La Barre véhicule déjà ces thèmes conquérants et laïques susceptibles de contribuer, un siècle plus tard, à l'établissement de l'ordre bourgeois et à la neutralisation radicale de la femme.

Mais au XVIIe siècle, et plus encore au XVIe, les phénomènes d'osmose entre le dogmatisme doctrinal, sévère ou complaisant, et les comportements qui régissent au quotidien les rapports entre les sexes sont en définitive fort rares.

C'est en marge de nos doctrinaires éthérés que s'épanouit en fait une réalité infiniment moins morose. Entre le discours académique et cette réalité toute prosaïque, le renversement de tendance est spectaculaire. Sans transition, nous voici donc propulsés aux antipodes de l'univers platonique défini par nos théoriciens atrabilaires ou apologistes, dans un monde enchanté et souvent saturé d'érotisme.

4

Du mythe
à la réalité :
la saturation érotique
du XVIᵉ siècle

La grande répression sexuelle des temps modernes ne commence vraiment qu'au XVIIᵉ siècle. Au XVIᵉ siècle, tout esprit répressif se retranche encore timidement dans le discours souvent ambigu de quelques prédicateurs ou dans certains manuels de droit ou de théologie. Partout ailleurs, on assiste à une véritable explosion de sensualité. La sexualité s'épanche en toute liberté et se retrouve partout, dans les rues, dans les étuves, dans les cloîtres, dans les ouvrages les plus austères. Les églises elles-mêmes servent parfois de cadre à d'étranges manèges érotiques. Les fêtes religieuses les plus solennelles et les cérémonies les plus graves se transforment spontanément en mascarades burlesques où enfants et adultes des deux sexes communient dans une même nudité.

Dans cette atmosphère de franche gaillardise, la femme ne suscite aucun refoulement. Elle ne fait l'objet d'aucune discrimination ailleurs que dans le discours doctrinal et platonique des misogynes viscéraux et des stratèges du refoulement. Au contraire, sa sensualité et sa beauté sont appréciées à leur juste valeur. Aussi inspire-t-elle un autre discours, toujours bon enfant, même lorsqu'il émane de

74

prédicateurs, point bigots ceux-là, qui s'érigent pourtant en défenseurs des bonnes mœurs. Mais de quelles bonnes mœurs s'agit-il en l'occurrence ?

Des prédicateurs attisent la fournaise.

En ce temps-là, il est vrai, la chasteté des prêtres était loin d'être universelle.

Lors du concile qui se tint à Constance, au XVᵉ siècle, on vit, au grand scandale des habitants de cette ville, une nuée de prostituées se bousculer dans le sillage des prélats[1]. Quant aux simples prêtres, ils se dédommageaient pour certains de leur pauvreté auprès de leurs paroissiennes en réitérant, à leur manière, les exploits de Simon le magicien par une confession gratifiée de dons en nature. Le *Glossaire* de Ducange cite même le cas d'un prêtre qui n'accorda l'absolution pascale à une pénitente de quinze ou seize ans qu'après en avoir reçu les faveurs. En prime, il lui promit même « une robe et chaperon, de l'argent pour avoir des souliers et pour aller à confesse le jour de Pâques[2] ».

Quant à l'église du XVIᵉ siècle, elle ne sert pas seulement de repaire aux prédicateurs bigots. Elle est aussi ce refuge où se tient un discours parfois obscène mais toujours coloré d'une autre catégorie de prédicateurs pornographes qui, du haut de leur chaire donnent le bon exemple avec une verve pétillante. Loin de cristalliser leurs névroses sur la courtisane ou sur son sein, ces bons ecclésiastiques moralisent en brossant de la débauche et de la luxure un tableau réaliste, vivant et licencieux. Mais on aurait tort de les en taxer d'immoralité pour autant. Au XVIᵉ siècle, la paillardise de langage n'est pas forcément l'expression d'une mauvaise vie. On la retrouve alors jusque sous la plume des écrivains les plus graves. Mais, dans la bouche d'un auguste prédicateur, la truculence d'un pareil dialogue a quelque chose d'étrange et de savoureux :

Je dis à quelqu'une :
— Belle sœur, pourquoi souffres-tu que cet individu te touche ainsi et te pince ?
Elle me répond :
— Oh, je voudrais bien qu'il ne vînt plus.
Je lui demande :
— Voyons, ris-tu ? Oui tu ris, car dès que tu le vois ne peux-tu lui dire : Allez-vous en ! Vous êtes le mal venu, et même le frapper de la main jusqu'au sang ? Mais bah ! il voit bien que le jeu te plaît[3].

Voilà de quoi chatouiller l'épiderme des paroissiens. Pis ! « Pour passer un bon moment, que faut-il ? dit un autre ecclésiastique, une poule rotie savourée en compagnie d'une jolie fille... Cela ne vous suffit pas ? Eh bien mariez vous et je vous promets la joie pour un an au cas favorable[4]. »

Mais ce sont deux prédicateurs de la fin du xve siècle, Olivier Maillard et Michel Menot, qui ont laissé à la postérité les sermons les plus équivoques[5]. Dans son *Introduction au traité de la conformité des merveilles anciennes avec les modernes...,* le protestant Henri Estienne cite longuement ces orateurs dans le but avoué d'en souligner les incongruités et de faire retomber sur l'Église catholique la responsabilité de la dépravation des mœurs du temps[6].

Dès la fin du xve siècle, la réputation d'Olivier Maillard était bien en place. Il prêchait d'ordinaire à Saint-Jean-en-Grève, et ses sermons firent sans nul doute recette dans les populations mal dégrossies du voisinage. Mesurant l'impact de ses paroles, ce terrible jacobin prête effectivement aux jeunes filles des alentours les propos qu'elles auraient tenus à leurs amants : « Vous êtes allés entendre ce prédicateur ? Je vois bien maintenant que vous deviendrez chartreux et que vous n'aurez plus souci des femmes. » Fustigeant allégrement la débauche « de ce temps » *(hujus tempori),* il appelle les choses par leur nom et ne s'embarrasse guère de périphrases compliquées. « Gardez bien vostre devant, madame ou mademoiselle », s'exclame-t-il simplement en guise d'avertissement. Sa représentation de l'univers est d'une simplicité déconcertante : dans les villes, chaque rue abrite un bordel, et, dans les campagnes, tout arbre ombreux et feuillu cache un couple de fornicateurs. Ceci dit, Maillard tance vertement les femmes de son auditoire et il les montre même du doigt : « Mesdames les bourgeoises, n'êtes-vous pas du nombre de celles qui font gagner la dot de vos filles à la sueur de leur corps ? »

Quant à Michel Menot, il raconte avec complaisance une foule d'anecdotes où le péché finit par donner le vertige à force de prendre un tour trop idyllique. Telle mère s'enferme avec son amant tandis qu'elle envoie sa fille au jardin pour peler les pommes de la compote. Et c'est ainsi, clame-t-il bien haut, que les filles apprennent à être corrompues. Mais la leçon vient trop tard, Menot a déjà fait germer l'idée du mal dans l'esprit de ses paroissiens.

C'est surtout avec une fougue toute particulière et un luxe tapageur de détails que Maillard et Menot s'en prennent aux putains et aux maquerelles du quartier : « O, maquerelles et putains ! s'exclame Maillard, et vous, bourgeois qui louez vos maisons pour qu'elles en fassent un lupanar et qu'elles y exercent leurs immondicités, voulez-vous vivre du derrière des putains ? » (Apprécions, au passage, le latin cicéronien de ce prédicateur : *O maquerellae et meretrices ! et vos, burgenses, qui locatis domos ad tenendum lupanaria et ad exercendum suas immundicitias, vultis vivere de posterioribus meretricum ?*)

Une même ardeur gaillarde anime Menot lorsqu'il s'exclame dans son latin macaronique étrangement entrelardé de vieux français : « Est une *maquerella quae posuit multas puellas* au mestier : *ad malum ibit*, elle s'en ira le grand galot *ad omnes diabolos. Estne totum ?* Non, elle n'en aura pas si bon marché, *non habebit tam bonum forum, sed omnes quas incitavit ad malum servient ei* de bourrées et de coterets pour lui chauffer ses trentes costes ! »

Quant aux jeunes gens nouvellement mariés qui

s'adonnent déjà à la luxure et aux amours illicites, c'est avec une complaisance scabreuse qu'on leur donne la parole :

> Vous savez que nous ne pouvons pas avoir nos femmes toujours pendues à nostre ceinture ou plustot les porter en nostre manche, et cependant nostre jeunesse ne se peut pas passer de femmes. Nous venons à des tavernes, hostelleries, estuves et autres bons lieux : nous trouvons là des chambrières faites au mestier et qui ne valent pas beaucoup d'argent : est-ce mal fait d'en user comme de sa femme ?

Et c'est sur de tels propos que les paroissiens se répandaient dans les rues, pour se livrer, les jours de fête, à d'incroyables mascarades.

Les kermesses érotiques.

Pendant tout le XVIe siècle, d'étranges kermesses ponctuent effectivement le calendrier religieux, transformant la célébration de certaines fêtes en de vastes mouvements de défoulement collectif. Ces jours-là, tout change de place, tout devient confusion, et la débauche, érigée en rite, renverse la hiérarchie.

Au nombre de ces liesses épiques, la fête des Innocents, qui se déroulait le 28 avril, a laissé des traces mémorables. Elle faisait, semble-t-il, partie d'un cycle de réjouissances mi-burlesques mi-obscènes, qui commençait à Noël avec la fête de l'âne pour se terminer, le jour de la circoncision, avec la fête des fous. « C'est une coutume ancienne, écrit un chroniqueur du XVIe siècle, et assez connue, que le jour des Innocens, après Noël, on donne le fouet en badinant en mémoire du massacre des Innocens. De là est venu le proverbe de donner les Innocens pour dire donner le fouet [7]. »

Aucune entrave à la pudeur ne réfrénait, en cette journée de pieuse débauche, l'ardeur paillarde des paroissiens toujours fidèles à cette coutume qui consistait à surprendre les jeunes « innocentes » au saut du lit pour les fesser copieusement avec la main ou avec des brindilles de bouleau. Les prêtres participaient à de telles réjouissances avec un zèle d'autant plus virulent qu'ils invoquaient leur condition de célibataires forcés. On en trouve la confirmation dans l'un des actes du Concile de Nantes (1491) qui leur interdit « de se répandre désormais dans les maisons de la ville, et d'arracher les personnes de leur lit, le jour des Saints Innocents, pour les conduire nues par les rues et les placer ensuite, avec de grands cris, sur les autels, dans les chœurs des églises et ailleurs [8] »...

Plusieurs documents prouvent l'extension de cette coutume en province à la fin du XVIᵉ siècle. « Vous sçavez que l'on a à Dijon, écrit Tabourot, ceste peute coustume de fouetter les filles le jour des Innocens, laquelle est entretenue par de braves amoureux pour avoir l'occasion de donner quelque chose en estraines à leurs amoureuses, et cependant avoir ce qu'ils estiment à grand contentement, voir le cul des pauvres filles, et quelque chose de mal joinct auprès [9]. » Tabourot évoque même le cas d'une jeune fille un peu lasse d'être fessée et qui s'était collé un écusson royal au derrière pour qu'il inspirât enfin le respect.

On trouve encore dans la littérature une foule de témoignages sur l'habitude de « donner les innocens ». Brantôme raconte à ce propos l'histoire d'une veuve qui « faysoit valoyr sa pièce comme estant jeune, laquelle une fois vint à estre amoureuse d'un jeune gentilhomme, et, ne le pouvant attraper, un jour des Innocens, vint en sa chambre pour les luy donner; mays le gentilhomme les luy donna fort aysément d'autre chose que des verges [10] ».

Le fouet des Saints Innocents inspire encore le thème central à la XLVᵉ nouvelle de l'*Heptaméron*, mais c'est sous la plume de Clément Marot que cet usage trouve sa consécration la plus savoureuse :

Tres chère sœur, si je sçavois où couche
Vostre personne au jour des Innocens,
De bon matin je irois à vostre couche,
Veoir ce gent corps que j'aime entre cinq cens :
Adonc ma main (veu l'ardeur que je sens),
ne se pourroit bonnement contenter
Sans toucher, tenir, taster, tenter :
Et si quelqu'un survenoit d'aventure,
Semblant ferois de vous innocenter :
Seroit pas honneste couverture [11] ?

D'autres saturnales chrétiennes égaient l'existence quotidienne du Moyen Age et du début des temps modernes. A
commencer par cette «danse de Saint-Jean» au cours de
laquelle les fidèles des deux sexes, entraînés dans un
tourbillon frénétique, se dépouillaient de leurs habits et s'en
allaient danser tout nus dans les églises et dans les cloîtres.
L'une de ces kermesses érotiques, celle du Saint-
Sacrement, se déroulait à Aix-en-Provence et durait huit
bons jours. Le roi René, comte de Provence (1434-1480),
en appréciait tellement la verve paillarde qu'il en confirma
les privilèges. Pendant tout l'Octave de la Fête-Dieu, une
étrange clameur profane retentissait dans tous les sanc-
tuaires de la cité provençale. Jeux, festins, danses écheve-
lées mêlaient dans une même trépidation tous les jeunes
gens venus des environs. Mathurin Neuré a laissé un
témoignage indigné sur l'indécence de ses compatriotes et
sur les «bouffoneries ridicules» qui accompagnaient cette
fête. Les processions donnaient lieu notamment à d'étranges
comédies : «Les amours se mêlent dans les rangs ; à la suite
des corps de métiers sont des jeunes gens des deux sexes,
habillés les uns en bergers, les autres en nymphes. Et ce
qui est de la dernière indécence, malgré la présence du
Saint-Sacrement, les bergers ne se piquent point de sagesse
ni les nymphes de sévérité [12].»
Et que dire de ces scènes de flagellation souvent rail-
leuses, souvent sanguinolentes. Que dire de ces mascarades

licencieuses qui se déchaînent dans une atmosphère de folie érotique ? Loin de fuir la lumière du jour pour se retrancher dans le pudique refuge de la peinture et de la sculpture de la Renaissance, le nu s'insère dans la réalité quotidienne du XVIᵉ siècle avec une complaisance qui frôle l'exhibitionnisme. Impression que confirme, à la fin du XVIᵉ siècle, la mode éphémère des processions de nus.

Nus en liberté.

En marge de ces kermesses érotiques, les occasions les plus solennelles servent en effet de prétexte aux dénudations les plus variées.

En 1471, on organisa en l'honneur de l'entrée de Louis XI à Paris des mystères qui, selon Jean de Troyes, relevaient de l'académisme le plus pur. A la fontaine Ponceau, il y avait notamment « trois belles filles faisant personnage de seraines toutes nues, et leur voioit-on leur beau tétin droit séparé rond et dur, qui étoit chose bien plaisante ; et disoient de petits motets et bergerettes [13] ». Quelques années plus tard, Charles le Téméraire faisait son entrée à Lille au milieu d'une foule de scènes allégoriques propres à débrider les tempéraments les plus austères. L'un d'eux, le *Jugement de Pâris,* offrait un tableau non moins dépouillé. Selon le chroniqueur Pontus Heuterus, il mettait en scène trois déesses, Junon, Vénus et Minerve, toutes trois « nues comme la main ».

> Celle qui représentoit Vénus étoit une femme extrêmement grande, et encore plus grosse. La Junon flamande n'étoit pas moins grande, mais maigre, sèche et n'ayant que les os collés sur la peau. Pallas, qui se présentoit toute nue aussi bien que Vénus et Junon, étoit une petite naine, bossue par devant et par derrière, le cou mince, ventrue, les bras et les cuisses seiches et gresles [14].

De pareilles exhibitions agrémentèrent, en 1484, l'entrée à Paris d'Anne de Bretagne et son mariage avec Charles VIII. Elles persistèrent sous le règne de Louis XII et de François Ier.

En haut lieu, souverains et seigneurs émaillent leurs divertissements de nudités affriolantes. En 1453, le duc de Bourgogne donnait une fête au cours de laquelle on exhiba « une pucelle qui de sa mamelle versoit hypocras en grande largesse, à côté de laquelle étoit un jeune enfant qui de sa broquette rendoit eau de rose [15] », et le 15 mai 1577, Catherine de Médicis se fit servir par Mmes de Retz et de Sauves, toutes deux nues, au cours d'un festin qu'elle offrit à Chenonceau. L'Estoile précise qu'« en ce banquet, les plus belles et honnestes estoient moitié nues, et avoient les cheveux espars comme espoussées [16] ». Dans son intimité, Catherine de Médicis n'hésitait d'ailleurs pas, selon Brantôme, à faire...

... despouiller ses dames et filles, je dis les plus belles, et se délicatoit fort à les voir ; et puis elle les battoit du plat de la main sur les fesses avec de grandes claquades et plamussades assez rudes, et alors son contentement estoit de les voir remuer et faire des tordions de leur corps et fesses...

Aucunes fois, sans les despouiller, les faisoit trousser en robbe (car pour lors elles ne portoient point de calson), et les claquetoit et fouettoit sur les fesses, ou pour les faire rire ou pour plorer : et, sur ces visions et contemplations, y aiguisoit si bien ses appétits, qu'après elle les alloit souvent passer à bon escient avec quelque gallant homme bien fort et robuste [17].

La libre nudité n'épargnait guère les classes populaires. Vers la fin du XVIe siècle, le *Journal de Paris* nous décrit les rues de la capitale inondées de nus à l'occasion des grandes processions organisées par la Ligue :

Le 30 janvier 1589 [écrit L'Estoile] il se fit en la ville plusieurs processions, auxquelles il y a grande quantité d'enfans, tant

fils que filles, hommes et femmes, qui sont tous nuds en chemises, tellement qu'on ne vit jamais si belle chose, Dieu merci.
Il y a telles paroisses où il se voit plus de cinq ou six cens personnes toutes nues...
Le lendemain se firent pareilles processions, lesquelles s'augmentoient de jour en jour en dévotion, Dieu merci.

Ces processions impressionnèrent si vivement les Parisiens que le 14 février suivant, jour du Mardi gras, ils en oublièrent les bals et les mascarades pour ne s'occuper que de la procession qui alignait, dans la même dévotion et dans la même nudité, plus de six cents petits adolescents. Le 24 février, « tout au long du jour l'on ne cessa aussi de voir des processions et esquelles il y avoit beaucoup de personnes, tant enfans que femmes et hommes qui estoient tous nus ». Au cours de ces cérémonies, on arborait des cierges, des croix et les armoiries du duc de Guise. Les ligueurs semblaient persuadés que de telles manifestations devaient calmer le ciel et ramener la paix. Au demeurant, la piété n'en était pas toujours le seul mobile. « Il s'y commettoit même beaucoup de désordres », écrit L'Estoile, surtout dans les processions nocturnes, où les jeunes gens des deux sexes se trouvaient confondus, et favorisés dans leurs désirs par l'obscurité. Alors, poursuit le chroniqueur, « tout étoit Carême prenant, c'est assez dire qu'on en vit les fruits ». Le curé de Saint-Eustache avait bien émis quelques remontrances sur l'incontinence de ces dévotions d'un goût douteux, mais il fut traité d'hérétique par les ligueurs, et les processions n'en suivirent pas moins leur cours quotidien.

En dehors des grandes occasions, la nudité trouvait un refuge permanent et privilégié dans ces étuves qui, importées d'Orient, essaimèrent dans tout l'Occident chrétien jusqu'au milieu du XVIIᵉ siècle. Sans doute n'étaient-elles point mixtes, du moins officiellement. Mais la réitération des ordonnances y enjoignant la ségrégation des sexes montre bien que le bain de vapeur n'était souvent qu'un prétexte.

Dès le XIIIe siècle, le *Livre des métiers* d'Étienne Boileau y fait allusion. «Que nuls estuveurs, y est-il spécifié au chapitre 73, ne soustiègne en leurs mésons bordiaus de jour et de nuit.» En 1498, une ordonnance prévoit qu'«aucuns estuveurs qui tiendra estuve à hommes ne pourra faire chauffer icelles pour femmes; ne au contraire, celuy qui en tiendra pour femme»... En 1575, une nouvelle ordonnance avertit les maîtres barbiers qu'au cas où ils «se trouveroit en leurdit hostel et maison tenir bourdellerie ou maquellerie, ou autres choses diffamantes, les avons dès à présent privez et privons desdits privilèges».

Il faut dire que les barbiers étuviers étaient naturellement prédisposés au métier d'entremetteur à la faveur des confidences qu'ils glanaient, de ci, de là, en «faisant le poil», c'est-à-dire en rasant ou même en arrachant à la pince les poils qui garnissent les parties «honteuses» des deux sexes. L'usage en avait été, semble-t-il, importé d'Orient avec les bains de vapeur. Mais il ne se généralisa vraiment qu'à la fin du XVe siècle. On s'en était fort bien accommodé au siècle suivant s'il faut en croire la plaisante anecdote qui nous est rapportée par le facétieux Béroald de Verville dans son *Moyen de parvenir.* Le tarif de la prestation était alors fixé à un demi-écu. De là l'embarras de la femme d'un avocat un peu chiche qui s'en alla à l'étuve se faire raser le poil avec un quart d'écu seulement.

Et advint que, comme elle fut retournée et couchée avec son mary, ainsi qu'il l'amignotoit et prenoit son jouet, il n'y trouva que du poil d'un costé :
— Oh! ma mie, comment, on ne t'a pas bien servi? Ton cas est entre deux âges; il n'y a de poil que d'un costé :
— Voilà! dit-elle, mon amy, on ne m'a fait la besongne que pour mon argent. Aussi je vous avois demandé demy-escu. Que ne me baillez-vous? Cela a esté cause que je n'ai le poil fait qu'à moitié.

La poésie de Clément Marot contient une autre allusion à cette coutume insolite. Lorsqu'en 1515 François Iᵉʳ se fit couper les cheveux et se laissa pousser la barbe, la France entière l'imita sur-le-champ, et les barbiers en furent bientôt réduits à l'usage exclusif de faire le poil.

> Povres barbiers.
> J'en ai pitié car plus comtes ne ducs
> Ne peignerez ; mais comme gens perdus,
> Vous en irez besongner chauldement
> En quelque estuve, et là, gaillardement,
> Tondre maujoint ou raser Priapus,
> Povres barbiers !

De pareilles coutumes dénotent un climat de grande sensualité. Et c'est cette même sensualité qui imprègne toute une partie de la littérature érudite du XVIᵉ siècle.

Discours érudit, discours érotique.

Alors même que des prédicateurs bigots commencent à monter en chaire pour vitupérer les courtisanes, un autre discours sur la femme prend donc forme sous la plume des médecins et des littérateurs qui exaltent, à leur façon, sa beauté corporelle à travers une foule de digressions peu guindées, sinon de la plus pure trivialité.

Les recueils de recettes à l'usage du corps connaissent alors un succès grandissant et c'est au XVIᵉ siècle qu'est traduit de l'italien le *Bastiment des receptes* où, par centaines, les formules les plus variées permettent de modeler miraculeusement le corps à sa convenance. Au début du XVIIᵉ siècle, le Dr Louis Guyon considère qu'il est du devoir des femmes de prendre le plus grand soin de leurs parties secrètes :

> Parce que, de toute ancienneté, l'homme et la femme couchant en mesme lict, par licence du mariage ou autrement par amitié et faveur, se descouvrent à nud, et se monstrent privément, et laissent palper, manier, baiser chacunes parties de leur corps, l'un à l'autre loüans et admirans leurs beautez, et prennent grand plaisir à telle chose : Dieu donna à Adam, premier homme du monde, vivant tout nud, sa femme aussi toute nuë [18].

Avec une éloquence encore plus pénétrante, Brantôme s'est penché en «scientifique» sur le problème de la sensibilité érotique et son discours prend sur ce thème une surprenante liberté d'allure :

> Quant à l'attouchement, certainement, il faut advouer qu'il est très délectable, d'autant que la perfection de l'amour c'est de jouir, et de jouir ne peut se faire sans l'attouchement ; car tout ainsi que la faim et la soif ne se peut soulager sinon par le manger et par le boire, aussi l'amour ne se passe ny par l'ouye, ni par la veue, mais par le toucher, l'embrasser, et par l'usage de Vénus [19].

Ce sont naturellement les parties génitales de la femme qui cristallisent en priorité l'inspiration des auteurs, médecins et chirurgiens pour la plupart, et c'est l'hymen qui soulève les problèmes les plus délicats.

Mythe ou réalité, l'hypothétique membrane n'en fait pas moins vibrer la fibre poétique des spécialistes les plus austères. C'est une «fleur», une «fleure de virginité», c'est «une belle fleur conservée dans un jardin, murée de toute part». Vient-elle à être cueillie, la jeune vierge qui «a laissé fouiller la taupe» est «déflorée». C'est encore un «gage», un «sceau de pureté». Contre les saillies impures de la concupiscence, cette «dame du milieu» veille avec diligence. Elle assure la «closture virginale», elle sert de «haye» ou de «mur métoyant [20]».

La femme qui vient de perdre son pucelage devient le siège d'étranges métamorphoses. Pour le Dr Jacques Duval...

> ... Le bout du nez, qui se monstre plus charnu en la pucelle, apparoist aucunement décharné et fendu en celle qui a perdu son pucelage...
> Dit aussi qu'en la pucelle le bout du tétin ou papille est de mesme couleur que le reste du tétin. Mais qu'après la défloration, il est rendu rouge en la fille qui est blanche de nature, et en la brune, il ternit et devient tanné [21]...

Le dépucelage n'est d'ailleurs pas ressenti sans un certain chagrin. Car les yeux, « qui sont veus beaux avec une naïve gayeté en la pucelle », deviennent ternes « et le regard plus triste après que la fleur de pucelage a esté cueillie [22] ».

On a longtemps discuté sur l'utilité de l'expertise permettant de déceler la présence de cette membrane problématique. La question était d'importance dans les affaires de viol, de rapt, de séduction et d'impuissance. Une foule de recettes bigarrées émaillent les rapports de matrones plus ou moins patentées :

> Si vous pulvérisez une petite quantité de bois d'aloès et la baillez à boire à une fille dans quelque breuvage que ce soit, si elle est vierge, elle pissera incontinent...
> Veut qu'avec un fil on mesure la grosseur du col, puis qu'on estende cette mesure depuis le menton jusques au sommet de la teste. Et si la mesme mesure n'y peut estendre ou est égale, la fille est encore jouissante de son pucelage. Si au contraire elle n'y peut parvenir, c'est signe de défloration [23].

Mais pour l'inénarrable Béroald de Verville, il suffit de souffler à l'intérieur des parties génitales de la femme. Si elle n'est pas pucelle, l'air s'y engouffrera. Dans le cas contraire, il en ressortira.

Le poil des parties génitales de la femme fait quant à lui l'objet de digressions non moins audacieuses. Le Dr Venette accorde à son existence une signification bien précise. Si la nature « met un voile à l'un et l'autre sexe », c'est « pour leur marquer que l'honnesteté et la pudeur y doivent établir leur principal domicile[24] ». Selon Duval, les sages-femmes ont souvent recours à une inspection attentive du poil « qui se trouve en la motte et tiennent que quand il est droit et bien situé, c'est signe de pucelage. Mais quand il est relevé, biaisé ou repapillé, c'est signe qu'on s'est trop appuyé dessus[25] ».

Le témoignage le plus éloquent émane cependant de Brantôme qui nous dépeint, à travers une étude circonstanciée de ces dames galantes qui gravitent dans les sphères de la haute société, à quel point le soin attentif apporté à ce poil si précieux s'est trouvé élevé à la hauteur d'un rite. On sait que les barbiers étuviers étaient passés maîtres en l'art de « faire le poil ». Mais à la cour d'Henri III, on l'accommodait à toutes les sauces avec mille recherches de sensualité obscène :

> Les unes y ont le poil nullement frisé, mais si long et pendant que vous diriez que ce sont les moustaches d'un Sarrasin ; et pourtant n'en ostent jamais la toison et se plaisent à les porter telle, d'autant qu'on dit — chemin jonchu et con velu sont fort propres pour chevaucher.
>
> Une autre et honneste dame les avoit si longs qu'elle les entortilloit avec des rubans de soie cramoisie ou autre couleur, et se le frisonnoit ainsi comme des frisons de perruques, et puis se les attachoit à ses cuisses...
>
> Aucunes, au contraire, se plaisent le tenir et porter raz, comme la barbe d'un prestre...
>
> Si feray-je encore ce petit conte, qui est plaisant, d'un gentilhomme qu'il me fit, qui est qu'en couchant avec une fort belle dame, et d'estoffe, en faisant sa besogne il luy trouva en ceste partie quelques poils si piquants et si aigus, qu'avec toutes les incommodités il ne la pu achever, tant cela le piquoit et le fiçonnoit[26].

A mesure que l'on pénètre à l'intérieur des parties naturelles de la femme, le style devient plus précis, plus imagé, aussi. Au niveau du col de la matrice, nous voici dans le « porche », dans la « première porte du cabinet », dans le « vestibule » (Duval), dans la « porte de la pudeur », dans « l'étui viril » (Venette). Il arrive que l'étroitesse de cet « étui » s'oppose à l'intromission. « L'homme a beau pousser et se mettre en feu, écrit Venette, l'obstacle ne cède point à la force », et Brantôme connaît même une femme si exiguë de nature qu'elle « en fit forcer le gué par des plus petits et menus moules, puis vint aux moyens, puis aux grands, et par de tels essays les uns après les autres, s'accoustuma si bien à tous » qu'elle n'eut plus à souffrir de l'approche des hommes les mieux calibrés.

Mais d'autres « ont l'entrée si vague et large qu'on la prendroit pour l'antre de la sibylle ». Il en est une, notamment, qui...

> ... se l'est fait de son vivant souvent mesurer à plusieurs merciers et arpenteurs, et que tant plus elle s'estudioit le jour à l'estrécir, la nuict en deux heures, on luy eslargissoit si bien, que ce qu'elle faisoit en une heure, on ne le défaisoit en l'autre, comme la toile de Pénélope. Enfin, elle en quitta tous les artifices, et elle en fut quitte pour faire élection des plus gros moules qu'elle pouvoit trouver[27].

Lorsque l'on débouche à l'intérieur de la matrice, le ton se fait plus grave. Nous sommes ici, ne l'oublions pas, dans ce sanctuaire où, selon l'expression de Venette, « les trésors de la nature sont cachés ». Il s'agit d'un organe merveilleusement fonctionnel, car situé « au bas ventre, entre la vessie et le gros boyau, qui servent comme de coussin au plus fier et au plus superbe de tous les animaux pendant qu'il demeure dans les flancs de sa mère[28] ».

Mère de l'humanité, cette matrice est aussi une terre féconde. Selon le Dr Du Laurens, la génération se fait lorsque « les semences fécondes et pures » sont versées « en la matrice comme au champ et jardin très fertile de la nature ». Paracelse écrit que si la matrice fécondée est « l'arbre qui naît de la terre, l'enfant est le fruit qui croît de l'arbre[29] ». L'inspiration colorée de Jacques Duval nous représente la femme qui prend « plaisir à la culture de son jardin[30] », et, pour Guillemeau, la matrice, comme «toute terre qui se laisse labourer à plaisir reçoit et retient la semence que le laboureur luy preste, rapportant du fruit infailliblement au bout de l'an[31] ».

Mais dans l'imaginaire collectif des XVIe et XVIIe siècles, la matrice n'est pas seulement une terre, c'est aussi un «animal», «d'autant, écrit Brantôme, qu'il s'esmeut soy-mesme ; et, soit à le toucher ou à le voir, on le sent et le void s'esmouvoir et remuer de luy mesme, quand il est en appétit[32] ». «Je le nomme animal, écrit Rabelais dans le Tiers Livre, car si le mouvement est indice certain de chose animée, et tout ce qui se meut de soy est dict animal[33]. » Pour Venette, «c'est un animal qui se meut extraordinai-rement quand elle hait ou qu'elle aime passionnément quelque chose». Sa prédilection pour la verge est notoire, et c'est par un mouvement précipité qu'elle « s'approche de l'homme pour en tirer de quoi s'humecter et se procurer du plaisir[34] ». Du Laurens qualifie la matrice d'«animal remply de concupiscence et pour ainsi dire envieux et friand[35] ». Et lorsqu'elle manque de sperme masculin, remarque le Dr Jean Liébault, «elle voltige par tout le ventre, cherchant quelque humeur pour estre humectée[36] ».

C'est à cet animal extraordinaire que la femme doit son amour prodigieux pour les verges. Ce préjugé universel, expression concrète de la boulimie, du «cannibalisme sexuel» des femmes, se retrouve dans une foule d'histo-riettes et de gravures qui décrivent, avec un luxe tapageur de détails, les mille folies dont elles sont capables pour assouvir leurs passions.

D'autres parties de l'anatomie féminine ont cristallisé l'attention des auteurs et stimulé leur veine créatrice. Une dévotion toute particulière s'attache ainsi au sein. Car s'il est des prédicateurs bigots qui en ont fait un objet d'exécra-tion et le point névralgique de leurs névroses, il est des médecins et des littérateurs qui l'ont purement et sim-plement sublimé, sinon sacralisé.

Le culte du sein.

Les ouvrages des XVIᵉ et XVIIᵉ siècles consacrés à la beauté corporelle fourmillent de recettes étranges destinées à restaurer n'importe quelle partie disgraciée du corps féminin et à travers le discours médical de cette période, on peut se faire une idée de la très grande exigence de l'Ancienne France en matière de perfection anatomique. Pour être conformes aux canons de la beauté, écrit par exemple Louis Guyon, «les fesses ne doivent estre que médiocrement grosses et amples. Les cuisses semblablement blanches comme albastre, polies, fermes». La plupart des femmes considèrent par ailleurs «comme une très grande difformité la cuisse héronnière ou maigre». Rien n'est meilleur, en pareil cas, que l'administration de clystères composés de «bouillon de teste de mouton et d'une demie longe d'un petit veau fort grasse et très cuite, avec un peu de riz [37]».

Les belles jambes sont «longues et rondes, avec une pulpe grosse charnue et massive, blanche comme neige et de forme ovale, s'amenuisant par le bas, sans toutesfois estre destitué de chair». Quant au ventre, il sera «rond et médiocrement gros et relevé [38]».

Mais le sein fait l'objet d'un discours autrement circonstancié. Selon la remarque de Louis Guyon, les mamelles ont une importance considérable, «car les hommes amoureux pensent recevoir une grande faveur, si la fille ou femme qu'ils recherchent leur laissent manier ces parties; de vray, c'est une grande privauté, et les filles sont grandement blâmées de se les laisser toucher, baiser ou manier [39]».

Si l'engouement pour le sein est de tous les temps, on l'a apprécié de fort diverses façons au cours des siècles. Le XVIIᵉ siècle affiche sa prédilection pour les mamelles opulentes. Mais, au siècle précédent, les sculptures et les peintures de l'École de Fontainebleau mettent à l'honneur

91

les seins petits, ronds et fermes. « Les mamelles, dit alors Louis Guyon, doivent estre médiocrement dures, fermes et solides à manier, et non dures comme marbre ou pierre, car cela donne une courte haleine à la fille ou femme, et à ceux qui les manient peu de contentement[40]. »

Le point de perfection semble atteint lorsque toutes les conditions requises par Clément Marot dans son épigramme « Du beau tétin » se trouvent réunies :

> Tétin refait, plus blanc qu'un œuf,
> Tétin de satin blanc tout neuf...
> Tétin dur (non pas tétin noir,
> Mais petite boule d'ivoire)
> Au milieu de quel est assise
> Une fraise ou une cerise...
> Tétin donc au petit bout rouge,
> Tétin qui jamais ne se bouge...
> Tétin gauche, tétin mignon,
> Toujours loin de son compaignon...

Mais toutes les poitrines ne jouissent pas des mêmes privilèges, et, si les beaux seins ont été une source féconde d'inspiration poétique, la difformité des tétins les moins bien pourvus a excité la verve railleuse de plusieurs auteurs. Brantôme se complaît dans l'évocation de ces femmes « opulentes en tétasses avalées, pendantes plus que le pie d'une vache allaitant son veau[41] ». Mais ce sont les poètes du XVIe siècle et les précieux du XVIIe siècle qui ont rivalisé de zèle dans la dénonciation des seins que la nature a disgraciés.

> Tétin qui n'a rien que la peau,
> Tétin flac, tétin de drapeau,
> Grand'tétine, longue tétasse,
> Tétin, doy-je dire bezace ;
> Tétin au grand vilain bout noir,
> Comme celuy d'un entonnoir.
> Tétin qui brimballe à tous coups
> Sans estre esbranlé, ne secous,

Bien se peut vanter qui te taste,
D'avoir mis la main à la paste.
                    Clément Marot

Philis tu me demandes pourquoi
Je ne sens point d'amour pour toi ?
La raison est que tes mamelles
Te vont jusques sous les aisselles.
                    Anonyme

Vos tétins dont la peau craquette
Comme lauriers qu'au feu l'on jette,
A toucher ne sont point plus doux
Que le dessus d'un vieux régistre,
Et comme un bissac de bélistre,
Ils vous tombent sur les genoux.
                    François Maynard

Pendantes et longues mamelles,
Molles et remblantes jumelles.
Tétasses de grosses femelles,
A couvrir d'un épais drapeau,
Peau bouffie et rude, moins peau
Que cuir à faire des semelles.
                    Isaac de Bensérade

Et à ce niveau de décrépitude, la médecine a encore son
mot à dire. Le *Bastiment des receptes* foisonne de formules
magiques qui permettent de conformer les mamelles les plus
flasques aux normes requises par les trente-six canons de
la beauté :

> Pour faire petits tétins tenir en leur estat, et de grossesse les
> réduire en petitesse : prens fressure de lièvre et mesle avec
> autant de miel commun, et de ce fais emplastre que métras sur
> les tétins et environ, et rafraîchis le dit emplastre quand il sera
> sec [42].

Pour le Dr Guyon, les « tétins flasques et plats »
retrouvent un ferme embonpoint grâce à un « remède

détractif» appliqué sous forme d'emplâtre et composé de figues sèches, de sénevé, de poix noire... macérés[43].

D'un autre point de vue, la «descouverture des tétins» fait l'objet d'une polémique à caractère moral. On connaît, à ce sujet, la position des stratèges du refoulement. Mais les partisans de sa libre exhibition ne désarment pas et proclament leurs convictions jusqu'à la fin du XVIIIe siècle. Se recrutant tout particulièrement dans les milieux littéraires, ils livrent une bataille sans merci, à grand renfort d'épigrammes et de stances. Dans une atmosphère embrasée par la sensualité, le XVIe siècle ne s'embarrasse guère de scrupules subtils. Mais, au XVIIe siècle, Cotin, Boursault, Scarron, Maynard et Bensérade militent en faveur de la «descouverture» avec une gaillardise qui n'a d'égal que la paillarde gravité des prédicateurs qu'ils affrontent implicitement.

En 1775, Nicolas du Commun écrit encore un livre consacré à l'*Éloge des tétons*, et vingt-cinq ans plus tard Mercier de Compiègne publie un nouvel *Éloge du sein des femmes* qu'il qualifie d'«ouvrage curieux dans lequel on examine s'il doit être découvert, s'il est permis de le toucher, quelles sont ses vertus, sa forme, son langage, son éloquence»...

Mais cette étonnante propension à la liberté sexuelle n'est pas exclusive des tendances les plus contradictoires. C'est en dehors de l'univers ecclésiastique et à travers leur propre stratégie que certains médecins, juristes et hommes de lettres vont chercher à endiguer les embardées sauvages d'un sexe rebelle aux normes de la bienséance.

5

Amour coupable,
amour transcendé

En marge du vertige sexuel qui s'empare du XVIᵉ siècle et du libre épanchement d'un discours débordant de sensualité, une tendance réactionnaire commence donc à se dessiner en milieu laïc à l'aube des temps modernes. Elle s'affirme au XVIIᵉ siècle et, contre vents et marées, ses partisans ne désarmeront jamais, fustigeant dans un même élan tout ce qui s'apparente, de près ou de loin, au sexe ou à l'amour. Du sexe, on ne souligne que la vocation procréatrice. Tout le reste est refoulé à la limite de la perversion et du péché. De l'amour, on parle en termes de pathologie comme d'un poison dont il convient de se purger. Tous les sentiments qu'il suscite troublent l'âme et sont à l'origine d'une désagrégation de nos facultés physiques maintes fois décrite dans plusieurs ouvrages de médecine. Sans doute n'incrimine-t-on jamais que les excès de l'amour. Mais derrière cette condamnation de la passion se cache déjà une volonté délibérée de culpabiliser les rapports sexuels. Et dans cette démarche, qui n'est plus d'essence spécifiquement religieuse, médecins et hommes de lettres se servent d'arguments ou d'arguties souvent déconcertants. N'a-t-on pas, par exemple, tiré d'étranges conclusions de l'observation de la nature ?

De l'observation de la nature
à la culpabilisation de la femme.

Le spectacle de la nature nous réserve en effet d'étonnantes surprises à travers l'observation attentive des conventions amoureuses en honneur dans le règne animal. Sans doute les chiens ont-ils l'impudence de s'accoupler en public. Mais « les grenouilles, qui sont animaux sales et immondes, ont horreur de s'embrasser de jour, et attendent que la nuit soit venue pour se conjoindre ensemble[1] ». Les grenouilles ne sont pas les seuls animaux à donner le bon exemple. Pour le chirurgien Guillemeau,

> C'est chose asseurée qu'entre les éléphans il n'y a et ne se commet aucun adultère, et que jamais ils ne s'accouplent qu'en lieu caché, retiré, et du tout escarté des grands chemins et compagnies ; mesme ne retournent en la trouppe des autres après l'accouplement qu'ils ne se soient premièrement lavez et purifiez en eau de rivière vive et courante[2].

Et pour le juriste Vincent Tagereau, la pudeur admirable des éléphants n'a d'égal que celle des chameaux[3]. Certains insectes affichent même un sens aigu de la chasteté, s'érigeant à l'occasion en pourfendeurs impitoyables des voluptés libidineuses. C'est ainsi qu'un autre avocat, Paul Caillet, affirme que « les abeilles sont tellement amies de la chasteté et pureté, qu'elles hayssent mortellement ceux qui approchent des femmes, les poursuivant à outrance avec leurs aiguillons[4] ».

Une sorte d'exécration s'attache donc à l'acte sexuel. Il est de ceux qui se perpètrent à la dérobée, dans le mystère de la nuit. Comme la nature, l'histoire est sur ce point prodigue d'exemples édifiants. Dès la période préhistorique, « les hommes recherchoient en telle action les cavernes et lieux obscurs[5] ». « A Rome, le mary ne couchoit point de jour avec sa femme, de nuict, seulement, et sans lumière[6]. » Et pourquoi ne pas méditer la leçon de Lycurgue qui « avoit ordonné que le nouveau marié n'allast voir sa femme que la nuit, ayant crainte et honte d'estre aperceu par aucun de la maison[7] ». Représentation naturellement fallacieuse de l'histoire. On sait que les Spartiates voulaient par cette coutume consacrer la prépondérance des rapports homosexuels sur les relations hétérosexuelles. C'est dire à quel point certains firent feu de tout bois pour souligner les aspects infamants de l'acte sexuel.

Or ce sont ces mêmes auteurs qui investissent la femme d'un préjugé particulièrement vivace en la rendant responsable de tous les désordres qui résultent des excès de l'amour.

Le mythe de la femme naturellement passionnée, déjà présent dans l'œuvre de Galien, s'enracine dans la nuit des temps. Ses pulsions sexuelles s'exercent dans l'anarchie, sans ordre ni mesure. Mais à ce niveau la culpabilisation de la femme se heurte à un paradoxe qui met, de façon insoluble semble-t-il, la médecine en contradiction avec elle-même. Réputée d'un tempérament froid, comment peut-elle être plus sensuelle que l'homme ?

La réponse s'inspire de considérations psychologiques et d'observations anatomiques. Beaucoup plus chaud que la femme, l'homme est cependant moins lascif. Le jugement tempère en lui la passion. Toujours plongé dans l'embarras des affaires, il n'offre que peu de prise aux illusions de la volupté. Pour le Dr Jacques Ferrand, « la femme est en ses amours passionnée et plus acariastre que l'homme en ses folies, d'autant que la femme n'a pas la raison si forte que le masle pour pouvoir résister à une si forte passion ». Mais les femmes dissimulent leurs sentiments. D'où leur froideur apparente, « en quoy leur mine est semblable à des alembics gentiment assis sur des tourettes sans qu'on voye le feu dehors[8] ».

Des considérations anatomiques déjà formulées par Aristote et reprises par Ambroise Paré confirment d'ailleurs ce sentiment. Les parties génitales de la femme, enfermées à l'intérieur du corps, sont embrasées par la chaleur naturelle

97

tandis que le sexe de l'homme se trouve rejeté «bien loing hors du ventre, de peur que les principales facultés de l'âme, l'imagination, la mémoire et le jugement ne fussent troublés par la sympathie et voisinage des parties honteuses[9]».

Depuis l'Antiquité, l'humidité propre à la femme est considérée comme un autre facteur d'exacerbation sexuelle. L'incontinence du flux menstruel ou de l'écoulement de semence en est l'expression concrète. Mais cet excès engendre la corruption et les vapeurs qui s'exhalent de la semence corrompue gagnent bientôt le cerveau et exposent les femmes à la «fureur utérine». De telles indispositions n'affectent pas les hommes. Ils ont peu de semence et la nature a trouvé le moyen de les en débarrasser par le biais des pollutions nocturnes.

Modération masculine, sensualité féminine. Tel est l'un des thèmes qui, une fois de plus, a servi à justifier les tentatives d'asservissement de la femme. Asservissement d'autant plus urgent que l'amour présente des dangers qui mettent en péril l'harmonie universelle de ce monde.

L'amour apocalyptique.

La description d'un amour dantesque se retrouve chez les auteurs les plus variés d'un bout à l'autre de la période moderne. Poison subtil toujours aux aguets, il exploite la moindre faille, la moindre faiblesse pour s'insinuer dans l'âme d'où il opère, par une sorte d'irradiation malsaine, la destruction systématique du corps. La dénonciation de ce «piège venimeux», de «ce venin qui coule dans les veines et se répand par tout le corps» inspire non seulement les ecclésiastiques, mais encore des médecins et des juristes qui communient désormais dans un même sentiment d'horreur lorsqu'il s'agit de flétrir «ces voluptez vénériennes» qui, selon les propres termes de l'avocat Paul Caillet, «offensent la veue, débilitent le cerveau, affoiblissent les nerfs, blessent la mémoire, altèrent le jugement, blanchissent les cheveux et le plus souvent les font tomber avant l'automne de nos ans». Mal irréversible et d'autant plus redoutable qu'il «fait son entrée en cachette et comme par surprise, mais s'estant emparé de la place du cœur, c'est un ennemi rigoureux et un tyran barbare que l'on ne peut vaincre ni déloger [10]».

Mais ce sont des médecins qui, dès le début du XVIIe siècle, récupèrent déjà et médicalisent le thème de l'amour destructeur, sentine de tous les maux. Ainsi injectée dans le discours médical des temps modernes, la passion fait désormais figure de bouc émissaire. Au même titre que la masturbation quelques décennies plus tard, elle permet d'intégrer dans un même diagnostic les maladies les plus variées. A l'origine de ce mythe se profile une croyance profondément ancrée dans les mentalités populaires : la perte de semence, facteur de régénérescence de l'humanité, entraîne, par contrecoup implicite, une perte nécessaire et logique d'énergie vitale.

D'où la nécessité de brider les impulsions de la volupté et de n'en user, avec parcimonie, qu'à des fins purement natalistes. Tout le reste n'est que gâchis. Le Dr Venette s'en est fort bien expliqué dans le chapitre qu'il consacre aux «Incommodités que causent les plaisirs du mariage» : «Le cerveau, qui est le principal organe de toutes les facultés de l'âme, se refroidit et se dessèche tous les jours par la perte que nous faisons incessamment de nos humeurs dans les caresses des femmes [11].» Il s'ensuit un effroyable cortège de maux, surdité, phtisie, fièvre lente, insomnie, toux sèche, crachats sanguinolents, flux de ventre et d'urine, constipation, catarrhe, goutte, douleurs nocturnes... Litanie morbide propre à détourner les plus voluptueux des plaisirs de Vénus.

La culpabilisation de l'amour ne passe pas seulement par la morne énumération des effets ponctuels du fléau érotique sur l'organisme déliquescent. Elle se traduit aussi par la définition d'un type d'homme et de femme fortement individualisés et dont le portrait suggère l'horreur que doit nous inspirer pareille passion. De ce point de vue, la névrose du père Maillard se retrouve sous la forme d'un constat médical dans l'œuvre de Venette :

> Voyez ce jeune homme de vingt-cinq ans, on le prendroit pour un satyre. La couleur de son visage est brune et basanée, meslée d'un peu de rouge ; ses yeux sont brillants et bien ouverts... Son nez est grand et aquilin. Ses cheveux sont durs, noirs et frisés. Il n'a garde de les faire couper sur ce qu'il a ouï dire des Auvergnats que, pour avoir plus de bétail, ils ne coupaient jamais la laine de leurs brebis ni le crin de leurs chevaux, parce qu'ils ont remarqué, par expérience, qu'il se fait par là une dissipation d'esprit qui s'oppose à la lassivité et à la génération [12]...

Un feu intense embrase de surcroît les organes internes de l'homme lascif :

> Son foie est plein de feu et de soufre, et le corps à qui il communique incessamment ses humeurs, est tout jaune par la bile qu'il engendre. Cette chaleur excessive épaissit son sang et le rend mélancholique... Le cerveau est presque tout desséché par le feu excessif de l'amour... Ses reins, où l'Écriture met le siège de la concupiscence, sont si chauds qu'ils enflamment les parties voisines [13].

On retrouve les mêmes attributs chez la femme amoureuse :

> Elle est brune et ses yeux étincellants sont des marques d'une flamme cachée. Son nez est un peu camus et retroussé, sa gorge est dure, sa voix forte et ses flancs bien ouverts. Ses cheveux sont longs, noirs et rudes, et dès l'âge de onze ou de douze ans, elle s'aperçoit que le poil sort de ses parties naturelles et qu'il y excite déjà des émotions amoureuses [14].

100

De telles personnes sombrent bientôt dans l'aliénation mentale. Selon les propres termes de Venette, « la raison n'est capable de retenir les emportemens amoureux et le tempérament est trop bouillant pour souffrir qu'elle en soit la maîtresse ».

Pour le Dr Ferrand, l'homme amoureux n'est même pas à l'abri de pareilles atteintes et les femmes finissent par lui altérer le jugement :

> Tous les jours nous remarquons que de jeunes esperruquez, muguets, enveloppez es las de quelque vieille Hécube esquénée et toute landreuse, ayant un front rabotteux, les sourcils espaiz, les yeux chassieux et larmoyans, les oreilles avachies, le nez escahé et refroigné, de grosses et mouardes lippes recroquebillées, les dents noires et puantes, le menton s'allongeant en groin tortu et despiteux ; qui néantmoins jureront que c'est une seconde Hélène, de qui la beauté gist es premières rides [15].

Mais le phénomène exerce ses ravages en priorité sur les femmes qui, en raison de leur débilité bien connue, offrent un terrain propice à la propagation du mal. Aussi un pôle idéal de culpabilisation de l'amour et de la femme se dessine-t-il autour de la nymphomanie ou fureur utérine dont les manifestations prouvent incontestablement les affinités qui unissent la passion à la folie, à la démesure.

Dès l'Antiquité, Hippocrate avait montré que l'origine de cette « mélancholie » érotique réside dans l'union intime qui relie la matrice au cerveau par le canal de l'épine dorsale. Tous les médecins de l'époque moderne sont d'accord sur ce point. C'est souligner la sensibilité de la matrice et la nécessité de reléguer la femme dans un isolement feutré, à l'abri d'une existence qui, selon la remarque du Dr Liébault, expose la femme à la lecture des poésies amoureuses, des Amadis et à la fréquentation des comédies :

> Car ces femmes-là gazouillent toujours et comme furies sont toujours en inquiétude, les yeux à l'escar, çà et là, elles sont

101

en perpétuelle démangéson, elles grattent souvent avec leurs mains les parties honteuses, et se délectent merveilleusement à les manier et toucher, n'imaginent et ne parlent d'autre chose que de la compagnie des hommes, de leurs doux embrassemens, du coït et autres choses deshonnestes [16].

On a tout essayé pour guérir et pour se guérir des affres de l'amour, et les livres de médecine foisonnent d'une multitude de recettes où le suc de bambou, la graine de laitue, les feuilles d'ortie et la corne de cerf pilée ne constituent qu'un infime échantillonnage de l'impressionnant arsenal de substances propres à vous détourner de tout emportement excessif.

Une autre forme de thérapeutique, fort prisée en milieu ecclésiastique, repose sur une mortification destinée à substituer une souffrance physique à la souffrance morale. La médecine n'a pas toujours ignoré ce recours à la souffrance. D'un façon générale, les médecins déconseillent le luxe, berceau de la luxure. En période de tension érotique, écrit Liébault, « sera bon de laisser le lict de plume et dormir sur un matelas ayant soubs les reins quelques petits cousinets pleins de poil de cerf ou de fueilles de morelles, de saules et d'agnus castus, de fleurs de nénuphar [17] »...

Nous sommes quand même bien loin des cilices et du fouet. En fait, jusqu'au début du XVIIIᵉ siècle, la culpabilisation médicale des rapports sexuels reste essentiellement passive et les pulsions répressives des laïques relèvent encore d'un genre littéraire à la saveur souvent rabelaisienne. Jamais les savants ne songent alors à la mise en pratique d'un système de coercition généralisé et ce n'est qu'au XVIIIᵉ siècle que des médecins comme Bekker, Tissot ou Bienville font entrer la répression sexuelle laïque dans sa phase active.

C'est donc sous l'influence des stratèges chrétiens du refoulement ou pour se libérer de structures conjugales ou sociales contraignantes que certaines femmes ont rejeté un amour prosaïque et coupable pour se précipiter dans les délices de l'extase divine.

Ainsi transcendé, l'amour se retrouve investi, au terme d'une étrange métamorphose, de tous les attributs d'une liaison mystique avec Dieu. Intensément vécue et assumée jusqu'au bout avec une persévérance sans faille, cette union offre un refuge et une compensation de choix aux victimes de quelque frustration affective ou sexuelle. Mais les caractères de la passion n'en sont pas dénaturés pour autant. La sensualité spirituelle exacerbe les sensibilités et l'amour divinisé offre une version parfois caricaturale, voire hystérique, de la passion charnelle. Les amantes de Dieu aiment et souffrent à l'extrême et leur ardeur exclusive les pousse souvent à la limite de l'aliénation. Visions, pamoisons, douleurs et délire verbal se succèdent tout au long d'une existence où la divinité fait constamment figure d'amant, sinon d'époux.

Le mysticisme sauvage d'Antoinette Bourignon [18].

Antoinette Bourignon naquit à Lille en 1616. Elle était, à sa naissance, d'une si grande laideur que ses parents se demandèrent pendant quelques jours s'il ne serait pas opportun de l'étouffer comme monstre. C'est en raison de cette laideur que la mère d'Antoinette contracta envers sa fille une aversion indélébile et, selon toute vraisemblance, la destinée de la fillette fut sensiblement affectée par un traumatisme affectif durable, aggravé, dans de larges proportions, par la préférence accordée à sa sœur.

Ainsi s'expliquent l'enfance et le caractère solitaires d'Antoinette. Avant de trouver refuge en Dieu, elle ne trouva de consolation qu'auprès de sa poupée. Mais «Dieu, écrit-elle, m'attira fortement dès aussi tost que j'eus l'usage de la raison». Là-dessus, elle donne libre cours à ses phantasmes en imaginant, point par point, tous les détails

103

d'une fascinante histoire d'amour que couronnent ses noces mystiques avec Dieu.

Pendant longtemps, elle négligea pourtant les avertissements du Ciel pour ne s'abandonner qu'aux griseries de ce monde. Le diable semblait l'attirer dans ses filets, et nombreux furent les hommes qu'elle séduisit. Mais ce tourbillon ne lui procurait que de bien falotes compensations. Écartelée entre le diable et le Bon Dieu, elle fut, pendant longtemps, la proie d'un conflit intérieur qui la mina sournoisement.

> Au milieu des danses et des divertissemens, je sentois comme des reproches de Dieu à l'intérieur de mes pensées, comme s'il m'eut parlé et dit : « Me voulez-vous quitter pour un autre ? Trouverés vous bien un amoureux qui sera plus parfait et plus accomply que moi ? » Cela me faisoit pleurer et attendrir le cœur et me résoudre à quitter le monde.

En dépit des menaces et des injures d'un père bien prosaïque, elle repousse obstinément l'idée du mariage et les partis avantageux qui se présentent à elle. Dans ses moments de solitude extatique et de contemplation divine, elle entend des voix lancinantes qui lui répètent : « Au désert, au désert ! » Bientôt, c'est l'escapade. Inlassablement tiraillée par les sourdes pulsions d'une passion qui l'élève vers les hautes sphères de l'inaccessible, Antoinette Bourignon s'envole pour ce désert immatériel qui l'appelle de ses vœux. Parents et maréchaussée aux trousses, habillée en homme, la voilà lancée dans un périple romanesque qui la conduit d'Ypres à Tournai et de Cambrai à Mons. Pendant plusieurs années, elle mène une existence misérable, errant de refuge en refuge et ne se nourrissant que du pain de la charité et de pieux sentiments, vivant de prières et d'eau fraîche. Vers le milieu du siècle, elle trouve une certaine stabilité en fondant, en marge de la hiérarchie, une communauté de filles pieuses, vagabondes pour la plupart.

C'est alors qu'elle fait la rencontre d'un certain Jean de Saulien qui semble avoir donné à sa passion un tour un peu moins éthéré.

Jeune villageois illettré, il lui tient, des heures durant, un langage imprégné de zèle mystique. Longtemps soldat, il a participé à plusieurs campagnes militaires. Mais il en est revenu, dit-il, aussi vierge qu'un enfant en dépit des provocations luxurieuses de plusieurs filles. Depuis, il a vécu dans un renoncement perpétuel, se disant « mort à la nature ». Pour Antoinette, c'est la révélation. Ce garçon est inspiré par le Saint-Esprit : « Je sentois en mon cœur, écrit-elle, une joye d'entendre qu'il y avoit encore des personnes en ce monde qui vivoient de la sorte. De quoy je remerciois Dieu, pensant avoir trouvé en cet homme un autre moi-même. »

Il fallut bientôt déchanter, car l'illumination divine de Jean de Saulien se transforma soudain en une passion beaucoup plus terre à terre et, à défaut d'avoir pu en apaiser ses ardeurs avec Antoinette, il engrossa l'une de ses filles dévotes. La hargne vengeresse avec laquelle notre malheureuse se déchaîne contre le misérable prouve que sa jalousie ne relevait peut-être pas d'un sentiment purement mystique.

Pour Antoinette Bourignon, ce devait être le début d'une longue série de déconvenues. Accumulant les haines et les accusations de sorcellerie, elle dut fuir pour mener, jusqu'à sa mort, une existence vagabonde à travers la Hollande et l'Allemagne.

Telle fut l'incroyable destinée d'une femme qui, se disant vouée à l'amour de Dieu, ressentit, sa vie durant, tous les stigmates de l'amour charnel. Dans ses moments d'extase, écrit-elle :

> Il me sembloit n'y avoir plus rien entre Dieu et mon âme. Elle se sentoit tout absorbée en lui. Je ne vivois plus, mais lui vivoit en moi. Les consolations intérieures passoient souvent jusqu'au corps, qui perdait tout sentiment à mesure qu'il oublioit les

choses de la terre. Mon esprit s'évanouissoit, je me délectois sensiblement dans ces douceurs, où je passois quelques heures sans rien sentir, ni savoir si j'étais au monde ou en paradis. Je me complaisois à sentir ces évanouissemens, doutant néanmoins si on se pouvoit bien laisser aller à de tels contentemens durant cette vie mortelle. Je le demandois à Dieu. Il me répondit : «Ce sont des foiblesses de la nature, soyez plus virile, je suis pur esprit, insensible à la chair...»

Antoinette fit même à plusieurs reprises l'expérience de l'enfantement. Chacune de ses conversions était accompagnée «des douleurs et des tranchées pareilles à celles d'une femme qui seroit dans le travail de l'accouchement». Et, par une étrange sympathie, c'est en convertissant M. Cort, un homme d'une extraordinaire corpulence, qu'elle ressentit les douleurs les plus vives. Encore était-elle plus modeste que Mme Guyon qui se disait «enceinte de l'Apocalypse».

La folle passion de Mme Guyon.

Françoise Mallet-Joris a retracé l'étonnante destinée de Mme Guyon [19]. Injustement brocardée, raillée sans vergogne, elle commit en fait un triple crime : «Elle refusa de s'intégrer à quelque structure que ce fût : elle poussa jusqu'au bout les conséquences d'une pensée passionnément éprise de Dieu, mais d'un Dieu d'amour et de liberté, d'un Dieu scandale, qui remettait en question toute l'échelle de valeurs de ce monde; enfin, crime plus grand et circonstance aggravante aux deux autres : elle était femme.» Et de surcroît «femme libre [...] qui choisit de penser et d'agir [20]» en s'élevant, d'un vigoureux coup d'aile, au-dessus des préjugés sociaux et de l'idéologie dominante.

Antoinette Bourignon a toujours fait figure de marginale

un peu douteuse et chatouillé la verve sarcastique de ses contemporains. La vie et les œuvres de Mme Guyon ont au contraire fixé l'attention des plus fortes personnalités de son temps, et Fénelon, Bossuet et Mme de Maintenon ne l'ont pas ignorée.

Jeanne Marie Bouvier de La Motte est née à Montargis en 1648[21]. Dès l'âge de douze ans, elle se sentit attirée par la vie ascétique en lisant avec délice les œuvres de saint François de Sales et la vie de Mme de Chantal. Mais ses parents s'opposèrent à sa vocation religieuse et, en 1664, elle dut épouser, bon gré, mal gré, Jacques Guyon, fils de l'entrepreneur du canal de Briare. Elle en eut cinq enfants, dont trois survécurent, et jusqu'à la mort de son mari, douze ans plus tard, elle vécut douloureusement ce qu'elle ressentit comme une infidélité à son divin amour. Sur les conseils de plusieurs ecclésiastiques, qui lui confirmèrent que Dieu l'avait vouée à un ministère extraordinaire, elle se retira, vers 1682, chez les Ursulines de Thonon.

C'est alors que ses pulsions mystiques se confondirent avec les rêveries de son directeur de conscience, le père Lacombe, et que ces deux enthousiastes se mirent à prêcher le renoncement absolu, le silence de l'âme et une indifférence totale pour la vie ou la mort, le paradis ou l'enfer. Cette vie n'était, suivant leur doctrine, qu'une anticipation de la vie éternelle et elle ne devait être qu'une extase sans retour. L'évêque de Genève ayant condamné pareille ferveur quiétiste, les deux âmes sœurs déambulèrent quelques années à travers le nord de l'Italie et le sud de la France, avant de se fixer à Paris.

C'est pendant cette période que Mme Guyon se lance dans la rédaction d'ouvrages mystiques qui attirèrent l'attention de Mme de Maintenon et de Bossuet. Mais sur les instances de l'évêque de Chartres, de l'archevêque de Paris, son œuvre fut soumise à un examen dogmatique et passée au crible en 1694. C'est alors que l'orage qui menaçait Mme Guyon et son confesseur se déchaîna dans toute sa violence.

Emprisonnée à Vincennes puis à la Bastille, Jeanne Guyon dut faire face aux accusations les plus sordides. Ses adversaires obtinrent du père Lacombe, lui aussi incarcéré à Vincennes, l'aveu écrit de son intimité coupable avec sa pénitente. «Le malheureux est devenu fol», dit Jeanne en apprenant la nouvelle. Et de fait, le père Lacombe mourut peu après à Charenton. Tirée de son cachot en 1702, Mme Guyon vécut les quinze dernières années de sa vie dans une pieuse retraite et dans l'exercice de sa charité.

Lorsque l'on se penche sur les aspects intimes de l'existence de Jeanne Guyon, on est frappé par la parenté entre les manifestations de son amour mystique et les manifestations d'un amour purement charnel. Les premiers élans de la passion divine se confondent chez elle avec une crise d'adolescence. A l'âge de douze ans, elle entend parler de la piété de l'un de ses cousins, missionnaire en Cochinchine. Aussitôt, son cœur s'embrase :

> J'en fus si touchée que je pensais en mourir de douleur. Je pleurai tout le reste du jour et de la nuit. Je me levai de grand matin et je m'en allai trouver mon confesseur fort désolée... Il fut fort étonné de me voir si affligée, et me consola de son mieux... O, mon amour Dieu, combien de fois aviez-vous frappé à la porte de mon cœur, qui ne vous ouvroit point ? Combien de fois l'aviez vous éfraié par des morts subites ? Mais cela ne faisoit qu'une impression passagère : je retournois d'abord à mes infidélitez. Vous me prîtes cette fois, et je puis dire que vous enlevâtes mon cœur.

La lecture de Mme de Chantal confirme la fillette dans ses sentiments et, en voulant s'identifier à son héroïne, elle adopte un comportement analogue à celui de toutes les jeunes adolescentes amoureuses. On y peut même déceler les tiraillements d'un érotisme exacerbé lorsqu'à l'imitation de sa sainte, elle se met en tête de graver au fer rouge le nom de Dieu sur son sein gauche, se résignant, en désespoir de cause, à se le coudre avec du fil et une aiguille sur sa chemise.

Mais, pendant longtemps, cette attitude reste indissociable d'une grande féminité et d'un impérieux besoin de plaire. Elle s'en confesse avec humilité et non sans une certaine coquetterie :

> Je passai bien du tems devant mon miroir : je trouvois tant de plaisir à me voir, qu'il me paroissoit que les autres avoient raison d'y en trouver...
>
> J'étois bien aise d'être regardée, et loin d'en éviter les occasions, j'allois aux promenades, rarement pourtant, et lorsque j'étois dans les ruës, j'otois mon masque par vanité et mes gands pour faire voir mes mains...
>
> Combien de fois, ô mon Dieu, suis-je allée aux Églises moins pour prier que pour y être vue ! Les autres femmes, qui étoient jalouses de moi soutenoient que je me fardois...

Même après son mariage, Mme Guyon se rendit coupable de quelques indélicatesses. «Je portai, dit-elle, la gorge un peu découverte, quoiqu'elle ne le fût pas à beaucoup près comme les autres la portoient. »

Mais l'amour de Dieu reste le plus puissant. Après chacune de ses incartades, Mme Guyon se laisse porter par d'étranges états d'âme où une délicieuse torpeur accompagne un sentiment de remords baigné de larmes et d'amertume. «Vos caresses, après mes infidélités, dit-elle au Bon Dieu, m'étoient bien plus difficiles à porter que vos rebuts. O si on savoit la confusion où elles mettent l'âme. »

Nulle mieux que Mme Guyon n'a su décrire ce divin orgasme qu'elle qualifie d'«extase» et qui procède, selon ses propres termes, d'une «sensualité spirituelle où l'âme, se laissant trop aller à cause de la douceur qu'elle y trouve, tombe en défaillance». «Lorsque je voulois lire, dit-elle encore, j'étois si prise de votre amour, O mon Dieu, que dès le premier mot, je me trouvois absorbée en vous ; le livre me tomboit des mains... et je ne pouvois faire autre chose que de me laisser consumer par l'amour. »

Ce Dieu, Mme Guyon disait l'aimer «plus fort que l'amant le plus passionné n'aime sa maîtresse». D'où la volonté d'exprimer cet amour par un comportement quasi masochiste. Elle porte en permanence des ceintures hérissées de pointes de fer, elle se lacère le corps par le contact de ronces et d'orties, elle marche sur les cailloux qu'elle glisse à l'intérieur de ses chaussures. Pis! Elle lèche les crachats les plus répugnants qui se trouvent sur son passage. Mais ce qu'elle appelle ses « pénitences extérieures » lui « servent plutôt de soulagement et de rafraîchissement ». Ses « croix intérieures » confirmeraient par contre le diagnostic d'hystérie. Il s'agit « d'un embrasement intérieur et d'un feu secret qui, sortant de Dieu même, vient purifier le défaut, et ne cesse de faire une extrême peine jusqu'à ce que le défaut soit entièrement purifié ».

Dans de telles conditions, il n'est pas étonnant que notre sainte se soit rendue insupportable à son époux et que son veuvage l'ait délivrée de ces « croix domestiques » qui, selon elle, s'inscrivaient aussi dans le dessein du Tout-Puissant. « O mon Dieu, s'était-elle écriée à la mort de son mari, vous avez rompu mes liens et je vous offrirai une hostie en louange. » Cette mort fut suivie d'une dépression nerveuse que Mme Guyon interpréta comme « une entrée dans l'état terrible de la mort mystique, précédée de la vie mourante puis de l'insensible et de la mort au sensible spirituel ».

Plus rien ne la séparait désormais de Dieu.

De la ferveur mystique à la ferveur charnelle :
l'affaire Girard-Cadière [22].

La confusion entre le mysticisme et la passion charnelle est beaucoup plus sensible dans le cas de Catherine Cadière chez qui l'amour de Dieu prit la forme d'un homme et fut à l'origine de l'un des plus grands scandales du XVIIIᵉ siècle.

Marie Catherine Cadière est née à Toulon en 1709. Selon le marquis d'Argens, « elle avoit de beaux yeux, la peau blanche, un air de vierge, la taille assez bien faite. Beaucoup d'esprit couvroit chez elle une ambition démesurée et une extrême envie de passer pour sainte sous un air de simplicité et de candeur ». Elle fut élevée dans une atmosphère de très grande piété auprès de ses trois frères qui devinrent par la suite ecclésiastiques. A l'âge de seize ans, elle avait imprudemment dévoré, et apparemment mal digéré, plusieurs livres ascétiques qui la plongèrent dans un doux ravissement. Elle fréquentait avec assiduité les églises sur les dalles froides desquelles elle s'agenouillait, des heures durant, laissant errer son âme dans une extase délicieuse.

C'est en 1728 qu'une voix intérieure lui commanda de se placer sous la direction spirituelle du père Girard qui venait d'être nommé recteur du Séminaire royal des aumôniers de la marine et directeur des Ursulines de Toulon.

La personnalité exceptionnelle de Jean-Baptiste Girard mérite d'être ici évoquée. Né à Dole en 1680, il se fit jésuite et se consacra à la prédication et au salut des belles pécheresses qui, en dépit de sa laideur, se laissèrent séduire par l'ascendant de son charme et subjuguer par cet air de modestie, d'austérité et de mortification qui émanait de son visage un peu torturé. Doué d'une éloquence naturelle et douce, il était de surcroît disciple de Molinos et prêchait une soumission passive et absolue à la volonté divine. L'essentiel, disait-il, procède de l'anéantissement de soi. Il ne faut pas s'inquiéter des sentiments dont notre corps est le siège, mais bannir les scrupules, les doutes et les craintes, pour que l'âme s'illumine d'elle-même, devienne plus forte, plus pure, et qu'elle acquière ainsi la sainte liberté.

Mais les pièces de son procès nous apprennent que, dans les faits, le père Girard exhortait ses pénitentes âgées à la prière tandis que, dans un transport de pieuse allégresse, il insufflait la grâce divine à ses jeunes dévotes en les embrassant sur la bouche ou en posant sa main sur leur sein gauche pendant la confession. Et sous l'emprise de cette ferveur quiétiste, il semble bien que certaines d'entre elles aient accédé au bonheur céleste par anticipation.

Des rapports purement spirituels s'établirent d'abord entre ce confesseur et sa nouvelle pénitente. Mais les conversations prirent peu à peu un tour plus intime et ils finirent par s'enfermer de longues heures pour méditer dans un climat de plus grande sérénité. Entraînés l'un vers l'autre par un amour ardent, ils parlaient de leurs âmes comme de deux sœurs exilées sur la terre pour s'aimer et se soutenir dans cette vallée de larmes. Pour atteindre un état de parfaite béatitude, ils se livrèrent bientôt à des pratiques qui, sous couvert de piété, finirent par exalter leur ferveur en exacerbant leurs sens. Catherine Cadière a laissé dans sa *Justification,* où il est d'ailleurs difficile de faire la part de la réalité et de ses phantasmes, le récit de ces séances au cours desquelles elle était sujette à des « défaillances » dont elle ne comprenait pas très bien le sens :

> J'avois beau dire au père Girard que j'avois sans cesse des représentations infames, des nudités horribles d'hommes et de femmes ; il me répondoit que Dieu vouloit me purifier par là ; pour me rendre capable de ses dons, et que je devois me servir de tout cela pour m'anéantir en moi même, et me résigner à la volonté de Dieu, sans m'embarrasser de tout ce qui se passoit en moi.

Et à la faveur de cet anéantissement salutaire, Catherine se retrouvait dans des « postures indécentes ».

> Quand le père Girard me trouvoit au lit, après avoir fermé la porte, il se mettoit à mon côté ; et me tirant au bord du lit, il me passoit un de ses bras par derrière, et l'autre par devant ; d'autrefois, il me découvroit et me baisoit de moment à autre...

Dans ces moments d'extase, la belle pénitente perdait conscience et elle ne retrouvait l'usage de ses sens que pour constater que son confesseur ne s'était pas seulement contenté de la contempler. Mais il lui faisait comprendre que ces épreuves humiliantes étaient voulues par Dieu pour la mettre dans le chemin de la perfection. Et c'est ainsi que préfigurant la Justine de Sade, Catherine Cadière subissait malgré elle la coupe idéologique du père Girard qui en usait à sa guise en la mettant dans les positions académiques qui convenaient le mieux à son inspiration mystique :

> Un jour, entr'autres, revenant d'une grande défaillance, je me trouvai étendue par terre, lui derrière moi, tenant ses mains sur mon sein qu'il avoit découvert...
> Il me dit un jour que le Bon Dieu vouloit qu'il appliquât son côté sur le mien ; et comme j'étois couchée, il me fit mettre au bord du lit, et découvrant la poitrine, il se mit sur moi...
> Queslquesfois, il me donnoit des coups de discipline, et baisoit ensuite l'endroit où il avoit frappé. Souvent, il se mettoit à genoux devant moi, et dans cette attitude il me disoit les choses les plus tendres...

Et pourtant, l'auréole de Catherine Cadière ne cessait de grandir à Toulon où tout le monde était convaincu que son union spirituelle avec le père Girard ne faisait que la sanctifier. Ce dernier préparait d'ailleurs dans le plus grand secret les pièces nécessaires à l'instruction du futur procès en canonisation de sa « sainte » qui, ce faisant, prenait goût aux miracles. Pendant la période de carême, elle supporta un jeûne de quarante jours ; on la vit plusieurs fois à deux mètres du sol « environnée d'un nuage depuis la ceinture jusqu'en bas ». Une couronne de sang coula sur sa tête et les stigmates de la croix apparurent sur ses pieds, ses mains et son sein gauche. Pourtant, lorsque ses règles disparurent, le père Girard n'y vit pas la marque du Saint-Esprit et il lui administra tous les soirs un liquide rougeâtre qu'elle ingurgita avec répugnance jusqu'au retour à la normale.

Dès cet instant, le père Girard ne songea qu'à se débarrasser d'une pénitente qui risquait de devenir encombrante. Il la mit, en dépit de ses protestations, au couvent d'Ollioules. Les entretiens mystiques reprirent d'abord entre les deux amants et, selon le témoignage de quelques religieuses, la grille du parloir ne fit même pas obstacle aux attouchements lubriques.

Cependant, on s'aperçut que la couronne de sang était peinte et que les stigmates étaient provoqués par l'application locale d'un certain onguent. C'est alors que le père Girard décida de se faire oublier de sa pénitente qui en conçut une fatale amertume. Il songea même à l'éloigner davantage en l'envoyant dans un couvent de chartreuses du diocèse de Lyon. Mais, alerté par la publicité tapageuse qui entourait désormais ces mystiques impuretés, l'évêque de Lyon défendit à Catherine de s'éloigner d'Ollioules et il lui donna un nouveau directeur, le père Nicolas, prieur des Carmes de Toulon.

Selon le marquis d'Argens, ce carme « étoit beau, bien fait, les yeux vifs et brillants, l'air mâle et vigoureux ». Le mysticisme avait fait naître dans le cœur de Catherine une propension à la tendresse qui n'attendait, pour se manifester, qu'une digne occasion. Le père Nicolas, de son côté, était fin connaisseur. On devine le reste.

Tous deux jurèrent alors la perte du père Girard et de l'ordre des Jésuites. La jeune femme passa aux aveux. Pour éviter le scandale, l'official de l'évêque la fit enfermer dans un couvent et les jésuites obtinrent contre elle une lettre de cachet.

Aussitôt, ses deux frères, l'un prêtre séculier, l'autre dominicain, prirent bruyamment sa défense et cherchèrent à discréditer l'ordre tout entier à travers la personne du père Girard. A leur tour, les jansénistes entrèrent dans l'arène et exploitèrent le scandale à grand renfort de publicité. Le père Girard fut arrêté, le peuple se déchaîna contre lui. Son procès devant le parlement d'Aix exacerba les passions et il s'en fallut de peu qu'il ne subît le sort d'Urbain Grandier puisque, sur vingt-cinq juges, il s'en trouva douze pour réclamer qu'on le fît brûler vif.

Il quitta Toulon dans le plus grand secret et mourut deux ans plus tard, en 1733, à Dole.

Un autre substitut : le diable.

Si Antoinette Bourignon et Mme Guyon ont choisi de se donner le Bon Dieu pour amant, et si Catherine Cadière a épousé le même choix sous une forme moins épurée, plusieurs «hallucinées» se sont au contraire vouées au diable avec une ferveur d'autant plus intense que ce dernier jouissait d'une solide réputation d'expert en matière de sensations fortes.

En fait, il n'est pas étonnant que quelques malheureuses, imprégnées d'onguent opiacé, se soient envolées, à califourchon sur leur balai, vers ce sabbat grisant, version mythique de notre nirvāna. Et comment ne pas voir aussi, à travers les phénomènes de possession diabolique, toutes les manifestations d'une évidente névrose hystérique ?

La vocation diabolique suppose, à l'image de la vocation divine, une soumission absolue au prince des Ténèbres consacrée par la signature d'un pacte imaginaire conclu en bonne et due forme selon le schéma traditionnel, mais caricatural, de l'hommage féodal. Le dévouement des suppôts de Satan est dès lors total, et des milliers de sorcières condamnées au bûcher purificateur sont mortes dans un esprit de résignation digne des plus grands martyrs du christianisme.

Torquemada s'en étonne. C'est en vain qu'il a déployé ses talents de persuasion pour convaincre «une fort belle damoiselle de l'âge de dix-sept ans» qui, amoureuse du diable, sous les traits d'un bel homme, «se laissa mettre dedans le feu, appelant toujours ce diable, et par ce moyen elle receut le payement deu à sa folie, perdant ensemble le corps et l'âme qu'elle pouvoit aisément sauver, mourant chrestiennement et se repentant de son péché[23]».

Le sacrifice dantesque et romanesque des dévotes de Satan couronne généralement une passion assouvie dans un délire sexuel intense. L'orgasme qui en résulte est vécu de façon beaucoup moins diffuse que l'enthousiasme éthéré suscité par l'amour de Dieu. Dans le cadre d'une consommation charnelle dûment assumée, il s'accompagne de sensations douloureuses et froides, syndrome tangible d'hystérie.

> Le membre du deable estoit dur comme caillou et fort froid, dit une possédée de Louviers... Elle ne sentoit rien par ses attouchemens que du froid... Led grand homme jettoit quelque chose dans son ventre qui estoit comme glace, qui venoit jusqu'aux tétins de la respondante... Led grand homme lui mangeoit les tétins, sentant comme un attouchement fort froid [24].

Une même sensation de froid est ressentie par Andrée Garaude :

> Elle l'a cogneu charnellement comme les autres femmes estant au Sabbat. Dit que la nature dudit Deable est froide [25].

C'est au Sabbat que l'exubérance sexuelle, portée à son comble, se manifeste au cours d'un cérémonial qui renverse l'ordre des choses. Dès le xvᵉ siècle, les témoignages affluent :

> En fourme de cat ou de bouch,
> Veans le dyable proprement,
> Auquel baisoient franchement
> le cul en signe d'obéissance [26].

Andrée Garaude assiste à la même scène : « Dit que le Deable... les fait danser et y demoure bien par l'espace de deux heures, après le baisent on darière, et est en forme d'un homme vestu de noir [27]. »

Mais ce sont les descriptions classiques de Pierre de Lancre qui donnent la mesure de l'orgie. Lors de l'épidémie de sorcellerie qui ravage le pays de Labour vers le début du xviiᵉ siècle, ce juge terrifiant extorque une multitude d'aveux imprégnés de phantasmes débridés :

Or cet accouplement infame vient après la danse et les festins...

Marie de Marigrane, agée de quinze ans, habitante de Biarrix, dict qu'elle a vu souvent le Diable s'accoupler avec une infinité de femmes... et que sa coutume est de cognoistre les belles par devant et les laides tout à rebours...

Jeannette d'Abadie, aagée de seize ans, dict qu'elle a veu hommes et femmes se mesler promiscuement au sabbat. Que le Diable leur commandoit de s'accoupler et se joindre, leur baillant à chacun tout ce que la nature abhorre le plus, sçavoir la fille au père, le fils à la mère, la sœur au frère, la filleule au parrain, la pénitente à son confesseur...

Dict... que le membre du Démon estant faict à escailles comme un poisson, elles se resserrent en entrant et se lèvent et piquent en sortant...

Marguerite dépose que le Diable, soit qu'il ayt la forme d'homme, ou qu'il soit en forme de Bouch, a toujours un membre de mulet, ayant choisy en imitation celuy de cet animal comme le mieu pourvu[28]...

Malgré tout, on aurait tort de sous-estimer la dimension romanesque de certaines idylles infernales. A l'exemple de Dieu, le diable a parfois l'art de faire surgir, lui aussi, des images rayonnantes de beauté.

Lorsque Antoinette Bourignon fonde un refuge pour jeunes filles nécessiteuses, elle a la surprise de voir Satan investir la place sous les traits de beaux jeunes gens qui séduisent trente-deux de ses pensionnaires. Le poison s'était introduit subrepticement grâce à la complaisance infernale d'une fillette de douze ans qui vivait depuis longtemps dans un univers onirique peuplé d'images radieuses. Ainsi confessa-t-elle :

Qu'estant bien jeune et jouant avec des fillettes, elles luy demandèrent si elle vouloit venir avec elles à la dédicace, qu'elle feroit bonne chère et auroit un amoureux ; et si tost qu'elle en fut contente, que ledit amoureux vint sur un petit cheval, et la prit par la main, demandant si elle vouloit estre sa maîtresse ? Et luy ayant répondu qu'ouy, elle estoit envolée en l'air avec luy et les autres filles dans un grand chateau, là où on jouit des instrumens, on dansoit et faisoit bonne chère, et beuvoit du vin [29].

De cette cohorte bigarrée des amantes de Dieu ou du diable, la postérité n'a généralement retenu que les aspects les plus troubles. Les sorcières, de pitoyables hallucinées. Cadière, une coquine de grande envergure. Antoinette Bourignon, Mme Guyon, des illuminées, des hystériques...

Des illuminées, des hystériques. Peut-être... sans doute. Et qu'importe !

Catherine Cadière n'a commis qu'un seul crime : exploiter à son profit la faille d'un système qui la vouait au renoncement. L'œuvre d'Antoinette Bourignon porte le témoignage d'une piété et d'une sincérité profondes. La vie de Mme Guyon présente bien des aspects poignants. Quant à la *sorcière,* elle a inspiré à Michelet des pages bouleversantes qui disent bien la misère de toute une catégorie de femmes dans l'Ancienne France.

On aurait tort de juger, on aurait tort de condamner ou de railler ces filières d'évasion qui permettaient jadis à quelques femmes d'accéder à une certaine forme de bonheur et de liberté tout en échappant à l'infamie du célibat ou à de contraignantes structures conjugales.

6

*Le mariage
et ses vicissitudes*

Structures conjugales contraignantes ? Et pourtant.

A la fin du Moyen Age, la mainmise de l'Église sur le mariage érigé en sacrement a délivré la femme de la tyrannie du droit romain et des coutumes germaniques et féodales. La monogamie est établie, les abus seigneuriaux abolis, l'indissolubilité du lien matrimonial proclamé. Le mari ne peut plus répudier sa femme. La liberté du consentement l'affranchit des mariages forcés. Contrainte, elle est même en droit de recourir à un procédure de dissolution. Devant Dieu, les époux sont égaux, et l'Église fait peser une même réprobation sur le mari adultère que sur la femme coupable du même péché. C'est au terme d'un lent processus de gestation que le mariage classique prend corps sous cette forme épurée. Qu'en est-il dans les faits ?

La genèse du mariage classique.

Les mutations qui transfigurent ainsi la nature du lien conjugal s'opèrent effectivement entre le xe et le xiiie siècle.

A travers une étude minutieuse des textes théologiques et littéraires de cette époque et l'analyse des conflits

119

réitérés entre les autorités séculière et religieuse, Georges Duby a reconstitué la texture profonde de ce phénomène décisif de gestation[1].

Dans une société régentée par les liens féodaux, le mariage était à l'origine un enjeu stratégique de premier ordre. Ainsi, « le roi, les grands princes féodaux resserrèrent le lien d'amitié vassalique en distribuant des épouses aux plus dévoués de leurs fidèles[2] ». Mais, au gré des impératifs politiques, la répudiation, la bigamie ou le rapt étaient aussi les pièces maîtresses d'un même jeu.

En même temps qu'elle dépossédait les princes de la tutelle qu'ils exerçaient sur le mariage, l'Église élaborait la doctrine classique du mariage chrétien fondée sur l'unité spirituelle et charnelle des époux (« Ils seront deux en une même chair »), sur la contrainte nataliste (« Croissez, multipliez et remplissez la terre ») et sur l'extinction nécessaire de la concupiscence, fruit morbide et détestable du péché originel.

De la genèse du phénomène, ne retenons que l'évocation des mythes qui, d'un système à l'autre, traduisent la permanence et la pérennité des structures mentales dans le discours sur la femme. Modelé sur les vieilles hantises de l'Écriture et de la Patrologie, les références à la femme dangereuse y sont explicites. Pour Bouchard (XIe siècle), la femme est par nature malicieuse, perfide et fornicatrice[3]. Pour Yves de Chartres, c'est à la faveur de son intempérance que la luxure s'infiltre dans les rapports conjugaux. D'où la justification de la domination du mari. « S'il y a discorde entre mari et femme, que le mari dompte la femme et que la femme domptée soit soumise à l'homme. La femme soumise à l'homme, c'est la paix dans la maison. » Et « puisque Adam a été induit en tentation par Ève et non Ève par Adam, il est juste que l'homme assume le gouvernement de la femme[4] ».

Le bon mariage se trouve dès lors entaché d'une ambiguïté radicale. L'Église le veut égalitaire tout en proclamant la supériorité naturelle et dogmatique de l'homme. L'opération de pacification laissait donc le champ libre à bien des malentendus, à bien des conflits.

D'autant que l'idéologie dominante allait formuler des exigences démesurées à travers un archétype d'épouse modelé selon des critères de perfection qui relèvent de la fiction.

La bonne épouse.

Quelles qualités n'aura-t-elle pas, notre bonne épouse ! Obéissante, soumise, silencieuse, besogneuse, vertueuse, aimante, sobre, économe, féconde... mais pas forcément belle ! Éternelle litanie sans cesse renaissante sous la plume des compilateurs les plus variés et sans cesse confrontée au mythe de l'impossible choix.

En quête d'une « bonne femme », le père Claude Maillard en perd son latin :

> Si vous prenez une jeune, elle est dangereuse ; si une vieille, elle est riotteuse ; si une riche, elle est glorieuse ; si une belle, elle est volage ; si une laide, elle fait peur ; si une saine, elle est coureuse ; une malade est ennuyeuse ; une savante est babillarde ; une idiote est une beste. Souvent une noble est superbe ; une roturière soupçonneuse ; une mesnagère avaricieuse ; une libérale prodigue. Le choix en est fort difficile, la bonne rencontre est un bénéfice du ciel et une faveur spéciale de la divine providence[5].

Et le laïque Marconville de s'apitoyer à son tour sur les tribulations du pauvre homme que tiraillent d'impérieuses pulsions matrimoniales :

> S'il espouse une femme pauvre, ce luy est une grande charge de la nourrir et entretenir, si elle est riche, ce ne luy est qu'une tempeste et tourment... S'il la prend plus riche que luy, elle luy reprochera sans cesse le gros mariage qu'il a eu avec elle...

> S'il la prend quelque peu belle, il aura grand peine à contregarder l'honneur d'elle ou de la tenir subjecte au logis, car comme la richesse et hault lignage rend la femme superbe et orgueilleuse, aussi la beauté la rend suspecte[6].

Quant à l'avocat Paul Caillet, il en a pris son parti avec résignation. En philosophe, il se contente d'observer d'un œil désabusé ces «personnes efféminez qui soustiendront que l'expérience dément ce discours et qu'il se void beaucoup de mesnages bien assortis, paisibles et tranquils[7]».

La genèse et la fonction du bon mariage s'inscrivent pourtant dans un ordre universel par référence explicite à la cosmogonie. Ainsi, «le ciel en son mouvement perpétuel avoit la terre subjecte comme femme, laquelle il rend féconde et fertile par sa vigueur et influence, comme faisant l'estat et office d'un bon mary[8]».

L'équilibre de l'édifice repose donc bien sur la domination de l'homme et la soumission librement consentie de la femme. Mais le mariage est aussi un asile salutaire, et le pouvoir protecteur de l'homme doit s'exercer dans la tempérance, loin de toute tyrannie. Le mari doit veiller sur son épouse, en raison même, selon l'expression consacrée, de «l'imbecilité de son sexe». Et la nature de ce devoir a été définie en fonction d'exégèses inspirées à saint Thomas par la côte d'Adam.

> Dieu a formé la femme d'une coste de l'homme proche du cœur, non des pieds, pour luy faire entendre qu'il ne doit pas la mépriser, ou fouler aux pieds ny la tenir comme servante; non des yeux, afin qu'elle ne fust trop curieuse; non des reins, pour luy enseigner qu'elle ne doit estre abandonnée, ny subjecte à ses plaisirs; non des bras, de peur qu'elle ne fust trop hardie, et entreprenante. Mais d'une coste qui est sous le bras, pour autant qu'elle doit estre sous la protection, direction et domaine de son mary; proche du cœur pour enseigner au mary qu'il doit l'aymer d'un amour sincère et cordial[9].

Il existe d'autres mécanismes intellectuels d'intégration de la femme mariée dans l'imaginaire des XVIᵉ et XVIIᵉ siècles. Mais, exacerbés par l'indissolubilité, de puissants mécanismes de rejet jouent aussi en sens contraire.

« S'il y a des mauvaises herbes dans le champ, le laboureur ne le méprise pas pour autant, il les arrache. Si vostre femme a de mauvaises inclinations, corrigez-les [10]. » Métaphore encore bien anodine, car le rejet implicite du mariage inspire des images beaucoup plus violentes, à commencer par l'irrésistible homologie entre le lien conjugal et les infirmités physiques. « Nous avons en nostre corps plusieurs vices et imperfections. L'un est boiteux, l'autre est tourtu, l'autre a la main sèche, et néanmoins, il ne se trouve personne si imparfait qui prenne en haine sa propre chair, mais un chacun la nourrit [11]. »

De l'infirmité incurable au mal mortel, de la main sèche à la gangrène, le fossé n'est pas si profond. La hantise de la décomposition par le contact d'un corps étranger est présente dans tous les esprits. « Certains voleurs de Toscane lioient un homme vivant avec un corps mort si estroitement qu'il ne pouvoit s'en séparer et estoit contraint de le porter partout, et pourrir avec luy. Ne voilà pas la servitude du mariage [12] ? » La référence à l'amputation est explicite et l'aspiration à la dissolubilité du mariage solidement tapie dans les profondeurs de l'inconscient. Ne sommes-nous pas en fait aux sources profondes du discours apologétique sur le divorce qui s'exprimera avec force dans la seconde moitié du XVIIIᵉ siècle ?

Mais, au XVIIᵉ siècle, le recours suprême et radical fait encore bien piètre figure. « Tout bien considéré, écrit l'atrabilaire Caillet, j'estime que les femmes qui assassinent et empoisonnent leurs maris leur font une espèce de grâce et de faveur. Car elles terminent promptement leurs douleurs sans les faire incessament languir comme pauvres martyrs [13]. »

123

L'exaltation du renoncement.

On aurait tort de croire cette phraséologie désuète sans impact sur les mentalités en raison même de sa trop forte connotation baroque. Érigé en dogme à travers toute une sophistique héritée du Moyen Age, le principe de la soumission des femmes mariées et la consécration de la supériorité masculine est intégré, à la fin du XVIIe et au début du XVIIIe siècle, dans l'idéologie des disciples féminins de Fénelon, Mme de Maintenon et Mme de Lambert.

Dans une lettre qu'elle adresse à Mlle d'Osmond, une élève de Saint-Cyr qui venait d'épouser le marquis d'Havricourt, Mme de Maintenon relègue l'épouse de bonne condition dans un espace sévèrement balisé : « Vous n'avez à présent que deux choses, ma chère fille, servir Dieu et contenter votre mari... S'il est jaloux, enfermez-vous et ne voyez personne ; si au contraire il veut que vous soyez dans le grand monde, mettez-vous-y en vous retirant cependant autant que la modestie vous le demande [14]... »

Au fond, le mariage ne serait que l'enveloppe rituelle d'un sacrifice dont l'épouse serait l'inéluctable victime. Sacrifice accompli, consacré, sanctifié la nuit de ses noces comme en témoigne l'auteur anonyme du *Catéchisme à l'usage des grandes filles à marier* (1715) :

> *Question :* Comment l'épouse doit entrer dans la chambre nuptiale ?
> *Réponse :* La rougeur sur le front mais avec résignation au sacrifice. Elle se deshabillera sans être aperçue de son mari, et gardera avec lui toute la décence que comporte l'accomplissement de son premier devoir...

Idéal de renoncement porté à son paroxysme dans une lettre de Mme de Maintenon à la supérieure de Saint-Cyr : « Quand vos demoiselles auront passé par le mariage, elles verront qu'il n'y a pas de quoi rire. Il faut s'accoutumer à en parler sérieusement, chrétiennement et même tristement.

C'est l'état où l'on épouse le plus de tribulations, même dans les meilleurs [15]. »

A l'idéal de renoncement exalté par Mme de Maintenon fait écho, quelques années plus tard, le fatalisme morose de Mme de Lambert. Car, pour cette mère plutôt chagrine, le mariage trouve la source de toutes ses vicissitudes dans les illusions corruptrices qu'il suscite dans l'esprit des demoiselles. « Une des choses qui nous rend plus malheureuses, dit-elle à sa fille, c'est que nous comptons trop sur les hommes ; c'est aussi là l'origine de nos injustices : nous leur faisons querelles, non sur ce qu'ils nous doivent ni sur ce qu'ils nous ont promis, mais sur ce que nous avons espéré d'eux ; nous nous faisons un droit de nos espérances, qui nous fournissent bien des mécomptes [16]. »

Philosophie du désespoir sans postérité ? Nous verrons au contraire qu'à travers un discours laïcisé le dogme de la soumission des femmes mariées sera récupéré, rationalisé, humanisé par les nouveaux bourgeois des XVIIIe et XIXe siècles.

Le mariage au XVIIIe siècle, une institution corrompue.

Mais en ce début du XVIIIe siècle la conjonction du renoncement et de l'indissolubilité porte en germe le processus de déliquescence de l'institution tout entière. Dans bien des cas, le dogme du renoncement est à la racine de l'absence implicite de consentement et du mariage par convention, mariage forcé par essence. Contre ce puissant facteur d'érosion, la clameur est pourtant générale. On en trouve déjà la trace dans les Mémoires de Mme d'Épinay à travers l'évocation fulgurante du mariage de sa sœur Mimi :

« Mimi se marie : c'est chose décidée : elle épouse M. le comte d'Houdetot, jeune homme de qualité mais sans fortune. » Un certain M. de Rinville, intermédiaire intéressé et obligé, tire savamment les ficelles du jeu. Une soirée mondaine réunit les familles de Bellegrade et d'Houdetot. Personne ne se connaît. Qu'importe : on s'embrasse, on se caresse. «On mit à table les jeunes gens l'un près de l'autre... Au dessert, on parloit déjà hautement de la dot.» L'officieux de Rinville prend la parole : «Tenez, mon ami ; entre amis francs comme nous, il ne faut pas tant de mystère ; traitons ceci hautement. Il ne s'agit que d'un oui ou d'un non.» Les futurs époux s'adorent déjà. On délibère. Trois cent mille livres, des rentes en terre, un diamant et une compagnie de cavalerie voltigent au-dessus de la corbeille de mariage. «Ah! dit M. de Rinville en se levant, nous voilà tous d'accord : je demande à présent que nous signions le contrat ce soir ; nous ferons publier les bans dimanche et nous ferons les noces lundi [17]... »

Séquence colorée, genèse d'un drame familial. Au fil des pages de ses Mémoires, Mme d'Épinay nous raconte la lente désagrégation de ce mariage pitoyable.

Dans un texte larmoyant, l'avocat Cailly se penche avec compassion sur les lendemains de ces unions scellées à la hâte sous la contrainte.

Son héroïne a dix-huit ans. «Elle aime un jeune homme depuis plus d'un an, elle en est aimée, ils alloient être unis.» Mais l'un de ces intermédiaires parasites qui officient dans l'ombre a exhumé un vieil avare au front nébuleux. Homme sensé, bon administrateur, «il sera plein d'égards, la femme n'aura qu'à désirer». La jeune fille soupire : «Il est bien laid, il est bien vieux.» Vétilles! «On s'accoutume à la figure, ce n'est pas un jeune homme qui rend une femme heureuse.» Bientôt, «la couche nuptiale est inondée des pleurs de l'innocence. Les gémissements de la douleur, les cris de désespoir, les reproches du mari forment le concert de cet hymen fatal... Le confesseur vient prêcher, il unit chrétiennement son indignation à celle du mari, il ouvre les gouffres de l'enfer, on ne parle que de la sainteté des serments à une femme à qui ils ont été arrachés et qui les déteste ». Épilogue fatal, l'époux atrabi-laire « la séquestre, il l'éloigne de ses parens qui la consoloient, elle ne les reverra plus [18] »...

Dans un tableau alarmant de la dégénérescence de l'espèce humaine, le Dr Goulin a étudié les conséquences physiologiques de ces mariages mal assortis. Une multitude d'enfants souffrent de difformités congénitales : « taches, tumeurs, signes, envies, boutons, goutte rose... » La raison en est simple : « La plupart des mariages se font par convenance, par nécessité et le plus souvent par intérêt. Aussi la dignité de notre existence dépend-elle presque toujours du hasard. D'un côté la fortune et le rang, et de l'autre les mœurs et un certain caprice sont les seules lois que l'on écoute. » Ainsi marie-t-on pêle-mêle une jolie femme, jeune et bien faite, à un vieil homme laid, une maigre à un gros, une petite à un grand [19]...

Et n'allons pas voir dans ces mariages bafoués l'apanage exclusif d'une aristocratie décadente. Jean-Louis Flandrin a bien montré que dans les classes paysannes « chaque famille avait dans son patrimoine un capital d'honneur qu'elle devait conserver et si possible accroître, d'une part en évitant les mésalliances et en essayant au contraire de s'allier à des familles plus honorables qu'elle-même [20] ».

Tout bonheur semblait naturellement exclu d'une vie conjugale régentée à sa source par la contrainte et la résignation. Car le caractère d'une femme soumise et passive tourne nécessairement à la morosité. Cercle infernal où l'homme, pris à son propre piège, cherche en vain à s'exorciser des névroses qui le travaillent en opérant un étonnant transfert de culpabilité. D'où l'amertume de ce « célibataire » anonyme qui, au terme d'un raisonnement élémentaire mais sans doute universel, exalte la courtisane au détriment de la femme mariée, responsable, à son sens, de la dissolution des mœurs par le morne ennui qu'elle distille :

Au lieu d'employer tous les moyens pour ramener le cœur de leurs maris et regagner leur affection, elles semblent s'étudier au contraire à leur rendre la vie domestique insupportable et les obligent de chercher ailleurs la tranquillité dont ils peuvent jouir chez eux... Il est certain, et nous rougissons d'être obligé de le dire, qu'une courtisane, dont l'état est précaire, a plus d'intérêt d'être aimable qu'une femme honnête dont l'existence est assurée. Delà sans doute l'attrait qui porte les hommes vers les premières et éloigne des secondes [21].

Quant à l'amour, il est par nature exclu de ce schéma. Il n'en serait pas moins absurde d'en tirer la conclusion absolue et manichéiste qu'il n'a jamais existé dans l'Ancienne France. Les mariages heureux n'ont pas d'histoire, c'est bien connu. Peut-être furent-ils les plus nombreux.

Mais sur les franges de l'infamie, il existait pourtant une catégorie de femmes dont le sort a peut-être été plus détestable que celui des épouses contraintes.

Être femme et célibataire au XVIIIe siècle.

A en croire certains chroniqueurs du XVIIIe siècle, deux dangers guettent la femme : le mariage et le célibat. Dilemme insoluble implicitement formulé en 1790 par l'avocat Cailly : les femmes, quel que soit leur état, ont-elles vraiment leur place dans la société ? « Dans le mariage, écrit-il, elles trouvent une servitude cruelle et dans le célibat, des dangers non interrompus. » Mais si le sort de l'épouse n'a pas toujours été enviable, peut-être était-ce un moindre mal en comparaison de la tare qui pèse sur la célibataire, véritable « fléau » à l'échelle de la nation, selon l'expression des contemporains.

Peut-on mesurer l'ampleur de ce « fléau » ? Pour Sébastien Mercier, « le nombre des filles qui ont passé l'âge du mariage est innombrable [22] ». Le prince de Ligne est plus explicite. A son avis deux cent mille laiderons mettent leur amour-propre à couvert en dissimulant leur amertume dans l'ombre glacée des couvents. Chiffre excessif si l'on songe que le prince ne fait allusion qu'aux filles de condition qui accèdent aux honneurs et aux prérogatives d'une abbaye. Quant aux autres, les plus nombreuses, elles se retranchent, dans le meilleur des cas, derrière un petit métier artisanal ou domestique. Faute de quoi, écrit Sébastien Mercier, « elles meurent sur le fumier, malheureuses, oubliées ». Sur une population nubile de sept à huit millions de femmes, le phénomène est donc loin d'être négligeable.

L'homme du XVIIIᵉ siècle s'est naturellement penché sur les origines du mal. Plusieurs causes sont invoquées.

Causes institutionnelles et structurelles, d'abord : le célibat des prêtres et des soldats, qui frappe 400 000 à 500 000 hommes, condamne positivement un nombre égal de femmes à la solitude.

Causes fortuites, ensuite. Selon la remarque de Cailly, une virginité accidentellement sacrifiée à quelque séducteur pousse bon nombre de malheureuses à « recommencer par métier une faute commise par faiblesse ». Encore peuvent-elles s'estimer heureuses lorsqu'elles évitent de glaner au passage ce germe de la vérole qui les condamne à cacher les marques de leur infamie dans la solitude laborieuse d'un cloître. Et que dire des malchanceuses qu'aucune faute originelle n'entache mais dont le visage mutilé n'en porte pas moins les stigmates indélébiles et souvent repoussants de la variole. Selon certaines estimations, elles n'en formeraient pas moins du quart des effectifs des couvents.

Causes morales, enfin : la dissolution des mœurs ou cette morgue nobiliaire qui pousse un certain nombre d'aristocrates à ne voir dans le mariage qu'une servitude avilissante conçue à des fins roturières. Parallèlement, le goût croissant pour le luxe opère une autre forme de dissuasion. Il devient « un besoin et le superflu prend la place du nécessaire. La difficulté de soutenir les dépenses du mariage et la facilité d'en trouver les plaisirs sans en avoir les charges multiplient les célibataires dans toutes les classes [23] ». Le rituel administratif auquel chacun doit se soumettre pour accéder aux joies de l'hyménée n'est pas étranger à ce sentiment. On évite de plus en plus, remarque Sébastien Mercier, de «consigner une dot par devant notaire». Sentiment d'autant plus légitime que le mariage n'est plus, dans bien des cas, que le fondement ou le ciment d'une affaire, d'un contrat. Le phénomène n'est sans doute pas une nouveauté, mais nous avons vu qu'au XVIIIe siècle il fait l'objet d'une prise de conscience qui retentit de façon fâcheuse sur l'institution tout entière.

Couronnant l'édifice de façon un peu paradoxale, la responsabilité féminine est naturellement incriminée à tous les niveaux à travers le mythe ancestral de la femme destructrice. L'insolence de certaines femmes, qui considèrent par exemple le célibat comme une filière privilégiée d'émancipation, fait vibrer la fibre misogyne de Sébastien Mercier. La référence à l'austère Lycurgue est sur ce point éloquente : «Que dirait ce législateur s'il voyoit aujourd'hui nos demoiselles dédaigner l'autel de l'hyménée, embrasser le célibat, s'en montrer les apologistes et vivre dans une espèce de liberté masculine, liberté qui, chez aucun peuple de la terre, ne fut le partage de leur sexe.»

On retrouve les mêmes références misogynes sous la plume de l'auteur anonyme des *Réflexions philosophiques sur le plaisir, par un célibataire.* Après avoir constaté la désaffection qui pèse sur le mariage, il en conclut, au terme d'un audacieux transfert de culpabilité, que les hommes ont de bonnes raisons de bouder une institution qui tombe en déliquescence en raison du comportement de moins en moins orthodoxe des femmes.

«Les jeunes gens, écrit-il, redoutent aujourd'hui le mariage plus que jamais. Le titre de mari effraie, et ce n'est pas sans raison. Le luxe est montré à un tel point, qu'il faut qu'une femme soit bien modérée pour ne pas ruiner en quatre ans son époux et sa famille. Au goût de la parure s'est joint celui du jeu qui ne connaît aucune borne ; et nous voyons de jeunes et jolies femmes passer des nuits entières autour d'une table ronde et perdre en une séance ce qui feroit la fortune de dix ménages. »

Mais ce luxe et cette perversion supposée des mœurs n'affectent au pire que les couches supérieures de la société, ne lézardant au fond que superficiellement l'institution conjugale. Si les femmes célibataires « de luxe » jouissent d'un statut privilégié, on ne saurait en dire autant de l'immense majorité des « vieilles filles » qui doivent d'abord essuyer la verve railleuse des chroniqueurs.

Haro sur la vieille fille !

Pôle idéal autour duquel se cristallisent une foule de sentiments misogynes, la vieille fille, au même titre que la vieille femme, déclenche de brutaux réflexes de défoulement. Jusqu'au XVIIᵉ siècle, la sorcière vouée au bûcher est le plus souvent choisie parmi les vieilles célibataires. Tel est l'apanage le plus atroce des préjugés qui, de toute éternité, s'attachent à sa personne : avarice, curiosité, méchanceté, incarnation du mal... Au XVIIIᵉ siècle, pareil châtiment n'est plus de mise. Mais la permanence des grands mythes fait jouer de nouveaux mécanismes de répression.

C'est avec une cruauté sordide que Sébastien Mercier compare les vieilles filles « à ces vignes infertiles qui, au lieu de porter des raisins, n'ont poussé sous le soleil que des feuilles jaunes et rares ». Leur disgrâce sera d'autant plus infamante qu'elles devront ressentir comme un camouflet la déférence dont toute mère de famille fait nécessairement l'objet. Ainsi, poursuit Mercier, « affranchies des peines et des plaisirs du mariage, elles ne doivent pas usurper la considération et le respect qui sont dus à la mère de famille... Ces filles décrépites sont ordinairement plus malicieuses, plus méchantes et plus durement avares que

131

les femmes qui ont eu un époux et des enfans ». Tel est le thème qui revient avec constance et lancinance dans la plupart des ouvrages consacrés à la femme. De ce point de vue, l'étonnant *Traité sur les vieilles filles,* d'un certain Hayley, grand « spécialiste » de la question, peut faire figure d'exemple.

Dans ce curieux ouvrage traduit de l'anglais en 1788, l'auteur s'est semble-t-il « amusé » à montrer aux « demoiselles » « comment elles s'y prendront pour se mettre à l'abri du ridicule et des reproches, en adoucir l'amertume et se procurer quelque moyen de consolation ». Dès le début, le lecteur est donc fixé sur les intentions peu charitables de Hayley. Impression première que confirme la suite du récit.

Une assemblée de vieilles filles n'est qu'un « troupeau d'êtres les plus aimables » ou un essaim de mouches. En effet, « la vieille fille peut souvent se comparer, non seulement à la mouche solitaire, mais à celle qui, dans les jours brumeux de l'automne, dépouillée de toute légèreté par l'absence de rayons de soleil, n'a plus la force de traîner un corps pesant que ses ailes ne peuvent supporter ». Envolée lyrique qui ne donne à vrai dire qu'une faible idée des ressources poétiques de l'auteur. Faisant vibrer à l'unisson sa sensibilité et son exquise serviabilité, il se demande par la suite comment venir en aide à la vieille fille :

« Une vieille fille est comme un arbre flétri au milieu d'une vaste commune... Que puis-je faire pour l'arbre flétri ? Je ne saurois le transplanter dans une autre terre, pour lui faire porter des fleurs et des fruits ; mais je puis du moins élever autour de lui une palissade qui le garantira des ânes sauvages et le mettra à l'abri des ruades dont ils se plaisent à l'assaillir dans leur lourde vivacité. »

Hayley se fait d'abord un devoir de dépouiller la vieille fille des dernières illusions qu'elle pourrait encore concevoir quant à l'attrait chimérique qu'elle exercerait autour d'elle. En anatomiste consommé, il offre donc à ses

lectrices célibataires un éloquent portrait d'elles-mêmes :
«Altamine est une vierge de 42 ans. Sa taille est haute,
son visage pâle et maigre. Son col décharné et aussi long
que celui de Cicéron à qui elle ressemble beaucoup... On
la voit souvent au milieu d'un cercle, allongeant son grand
col... Elle est d'une taille démesurée, et elle s'imagine
qu'une grande femme est un chef-d'œuvre de la nature.»

La mise au point est suivie d'une série de conseils
pratiques : cesser d'épier le ventre des jeunes mariées, de
s'entourer d'amants imaginaires, d'affecter une sensiblerie
de mauvais aloi ou une chasteté mal entendue. Sur ces
thèmes, les anecdotes abondent.

Miss Dainty est choquée par la présence dans son jardin
d'une statue représentant un lévrier. Elle lui fait mettre une
culotte.

«Pétrée a toujours dans les mains une tragédie ou un
roman qu'elle lit avec avidité et qu'elle arrose d'un torrent
de larmes... Mais si le héros dont le malheur la fait pleurer
si amèrement paroissoit tout d'un coup devant elle et qu'il
lui demandoit un shilling, vous verriez aussitôt ses larmes
se tarir, son cœur se resserrer et devenir aussi froncé que
la bourse.»

Derrière l'humour corrosif mais gratuit de Hayley, on
imagine aisément les ressorts d'un sadisme plus ou moins
feutré. Phénomène qui prend une dimension effrayante
chez Restif de La Bretonne dont l'esprit perturbé a conçu
pour les femmes célibataires un système de coercition d'une
cruauté insoutenable.

L'univers concentrationnaire de Restif de La Bretonne.

La législation utopique de Restif de La Bretonne s'inscrit
dans un contexte prérévolutionnaire bien précis. Avide de
pouvoir, toute une bourgeoisie frustrée imagine alors de

codifier la société à travers une foule de projets de lois plus ou moins réalistes. Mais Restif se contente quant à lui de régenter les femmes. Après avoir enfermé les prostituées dans des bordels modèles où, dûment calibrées selon leur âge et leur beauté, elles exerceraient leur métier selon un mode de fonctionnement bien précis (*le Pornographe*, La Haye, 1769), le voilà qui récidive avec toutes les femmes (*les Gynographes*, La Haye, 1777). Le sous-titre de l'ouvrage constitue d'ailleurs à lui seul une étonnante profession de foi : *Projet de règlement proposé à toute l'Europe pour remettre les femmes à leur place et, par ce moyen, travailler à la réformation des mœurs.*

Dans l'univers claustral et débilitant à l'intérieur duquel ce misogyne morbide rêve de condamner les femmes à un étiolement fatal, la célibataire devra se contenter de la portion congrue.

« S'il arrive, écrit-il, qu'une fille soit par manque d'agrémens extérieurs ou par autre cause qui ne tienne pas à la conduite ne pût trouver un établissement, on accordera à ces filles, par privilège, différentes places suivant leur condition, savoir : pour les filles nobles, la préférence sur toutes autres pour être supérieures dans les maisons religieuses, abbesses... Pour les filles des bourgeois aisés, la préférence pour être reçues dans ces maisons, non dans la première jeunesse mais à trente-six ans accomplis... A l'égard des filles de travail bons sujets qui ne trouveront à se marier, elles seront admises de préférence au bureau de domesticité...

» Si au contraire c'était à cause de ses mauvaises mœurs qu'une fille ne trouvât à se marier, elle sera séquestrée suivant sa condition ; les filles dans l'état aisé seront enfermées dans une maison de repenties... Les filles de basse extraction seront mises dans des manufactures de force et condamnées à un travail rigoureux, la moindre négligence étant punie par les verges, supplice qu'elle souffrira par les mains de ses compagnes... »

Exprimé avec un humour sinistre ou le sadisme le plus

raffiné, le phénomène de rejet inspiré par la « vieille fille » et l'exaltation du bonheur conjugal qu'il sous-tend auraient dû consacrer le bonheur de la femme mariée. Nous le savons, tel ne fut pas toujours le cas, dans le cadre des mariages forcés notamment.

Mais toutes les épouses contraintes n'ont pas fatalement assumé leur destinée de femme meurtrie dans un esprit de totale abnégation. Quelques-unes ont même allégrement transgressé les normes de la morale traditionnelle en choisissant le parti de la liberté. Et de fait, dans les classes dominantes, le XVIIIe siècle peut être considéré comme le grand siècle de la femme adultère. Mais l'adultère n'a jamais été le privilège exclusif de ce siècle et de son aristocratie.

Et la femme adultère ?

Autre facteur de dégénérescence matrimoniale, péché mortel par excellence, l'adultère, que les théologiens et les juristes flétrissent d'un élan unanime, inspire des solutions radicales.

C'est un crime épouvantable qui, jusqu'au XVIIᵉ siècle, suscite des visions d'apocalypse. Car le pécheur ne se contente pas de mettre son âme en péril. Il fait aussi peser une menace constante sur le repos de son prochain, et la société tout entière, collectivement responsable de la souillure qu'il commet, se trouve concernée par la vengeance divine.

Qu'on se souvienne, s'exclame le père Benedicti, de la campagne meurtrière de Moab (Num. I, 25, *Cor.* 10), de la mort de six mille enfants d'Israël à la suite du viol de la femme d'un lévite (Jud. I, 20). Les revers français en Sicile et la stérilité des princes font partie de ce funeste cortège de maux qui s'attache à l'incontinence des grands, à « leur esbat à souillir la couche d'autruy [1] ».

On retrouve une même condamnation sous la plume des juristes. Pour Damhoudere, « les illégitimes et diaboliques couchementz, entraînent le parjure, les faux témoignages, l'homicide [2] »... Lebrun de La Rochette y voit « la racine de nos malheurs... des larcins, de l'inceste, de la volerie, de l'idolâtrerie [3] »...

Pour l'Église, l'homme et la femme adultères sont aussi

coupables l'un que l'autre. Citant saint Ambroise, saint Augustin et saint Jérôme, le père Benedicti estime que « c'est une folie aux hommes que de se promettre l'impunité veu que devant Dieu, ils sont autant ou plus coupables ». L'homme n'est-il pas le chef de la femme ? Ne lui doit-il pas le bon exemple[4] ? Pieux paternalisme sans effets pratiques, hélas ! C'est seulement devant Dieu qu'un même degré de culpabilité pèse sur l'homme et la femme adultères. Justice laïque et droit canon ne connaissent qu'un coupable, l'épouse, qu'une victime, le mari.

La femme adultère, l'Église
et les exécutions sommaires.

Oui, c'est bien la femme, souligne Benedicti, qui introduit dans les foyers ces bâtards qui jouissent d'une affection et de biens usurpés. Dans l'ignorance de leur paternité, les enfants adultérins sont parfois les agents involontaires de mariages consanguins. Ils portent en eux le germe d'un autre péché mortel : l'inceste. Nantis d'une fausse légitimité, ils risquent d'accéder aux dignités ecclésiastiques que le droit canon refuse aux gens de leur espèce.

Mais que faire lorsque la femme a péché ? Se taire, répond Benedicti. L'honneur de son mari est son bien le plus précieux, un scandale lui porterait ombrage. Prestige du Mâle oblige ! La révélation de la vérité lui donnerait d'ailleurs le droit de tuer sa femme et, dans de telles conditions, l'aveu équivaudrait à un suicide. A la rigueur, que la pécheresse lui confesse son péché à l'article de la mort. Une fois morte, il ne pourra plus la tuer ! A défaut de heurter le mari, qu'elle traumatise donc son bâtard en lui révélant la tare qui pèse sur sa naissance. Osera-t-il vivre en intrus ? Un monastère sans bénéfice serait alors son seul refuge[5]. Ce schéma, toujours valable au XVIIIe siècle, scelle de façon tragique la destinée de Simone Simonin dans *la Religieuse* de Diderot.

Les labyrinthes hypocrites et tortueux du révérend père Benedicti ne sont plus d'une grande utilité lorsqu'un mari irascible met un terme prématuré et sanglant au repentir de sa femme.

Les stipulations de la *lex Julia de adulteriis,* reprises par la novelle 117 du Code justinien, sont entrées dans la coutume. Il est vrai que la loi Julia permettait au père, mais non au mari, de tuer sa fille adultère. Or, jusqu'à la fin de l'Ancien Régime, tout mari bafoué peut, en toute impunité, assassiner sa femme, pourvu qu'il assassine en même temps son amant. En principe, les maris assassins sont déférés devant les parlements pour y être jugés. Mais ils bénéficient systématiquement de lettres de grâce et rémission, même si les chancelleries affectent de les délivrer avec une certaine mauvaise volonté lorsque l'époux a tendu un piège mortel à sa femme. Parfois, le meurtrier est condamné à une amende. Au pis, lorsque le mari assassine en même temps que sa femme un amant de noble extraction, on le condamne au bannissement, non pour homicide, mais pour manque de savoir-vivre. Selon la remarque de Damhoudere, « le mari peut tuer l'adultérant trouvé en flagrant délit s'il est vilain et ignoble. S'il est noble, il faut le punir modérément, pas comme homicide ains par bannissement[6] ».

Les juges n'absolvent le crime que s'il est commis dans certaines conditions bien précises. Le mari doit surprendre la femme et son amant « en l'ouvraige en ung lict », disant « vilaines parolles ou tastant les tétins ou autres pudendes[7], l'ung accolant l'aultre et baisant[8] ».

Le cas le plus fréquemment cité est celui de l'Italien Scipion Menaleoti. Agé de quarante-cinq ans, il épouse Camille Rive, une adolescente de douze ans. Après quelques années de vie commune, la jeune fille noue une intrigue amoureuse avec un nommé Bruneau. Menaleoti les massacre à coups de couteau. Les lettres de grâce furent entérinées après versement d'une amende de 300 livres[9].

La vengeance prend parfois la dimension d'un meurtre prémédité. Le prévôt des maréchaux de Montbusson maltraite sa femme. Il lui «donne le fouet et les étrivières». Surtout, il la suspecte d'une liaison adultérine. Prétextant un faux voyage, il provoque un tête-à-tête clandestin avec son séducteur. Sans craindre de mettre la force publique dont il est responsable au service de ses intérêts personnels, il requiert l'aide de l'un de ses archers et ordonne de sang-froid l'assassinat des amants [10]. Imbert eut quelque mal à faire entériner ses lettres de grâce car, selon la simple remarque du juriste Fournel, «il avoit plutôt dressé un piège à sa femme qu'il ne l'avoit surprise impunément».

Les privilèges de la noblesse l'ont dispensée de ce simulacre même de justice. Au milieu d'une foule de cas semblables, Brantôme évoque plaisamment l'exploit de René de Villequier qui, le 1ᵉʳ septembre 1577, égorgea sa femme en pleine cour à Poitiers. Ce mari expéditif n'ignorait pourtant rien de la vie dissolue qu'elle menait depuis quinze ans. Mais ce jour-là, écrit Brantôme, «une verve luy print et par un matin la vint trouver dans son lict, luy donna quatre ou cinq coups de dague, puis la fit achever à un sien serviteur. Après se présenta à la cour, comme s'il eust fait la plus belle chose du monde, et en triompha».

Deux siècles plus tard, un certain Le Prêtre de La Martinière jugea prudent de quitter Paris après avoir assassiné M. de Gamache, amant de sa femme. Mais Louis XV, pris d'une immense sollicitude, proclama bien haut que «M. de Gamache étoit mort d'un coup de sang». Auréolé d'un immense prestige, La Martinière fit sa réapparition à la cour aux côtés de sa femme. Celle-ci en conçut un si grand chagrin que chacun jugea «que la mort étoit ce qui pouvoit lui arriver de mieux». Il faut croire Bachaumont d'un naturel optimiste puisqu'il mit cette histoire au nombre de ses *Anecdotes piquantes* [11].

L'adultère devant la loi.

A côté de cette justice personnelle, marginale et expéditive, la loi s'emploie depuis toujours à réprimer le crime d'adultère. L'histoire des liaisons coupables est émaillée de sanctions à caractère plus ou moins légendaire, souvent cocasses, souvent barbares.

Attestée par l'Ancien Testament, la lapidation de la femme adultère a été en usage dans plusieurs sociétés antiques. Mais, en marge de ce châtiment abominable, Juvénal et Lucien parlent d'un rite curieux et fort prisé des Romains. L'amant coupable faisait l'objet d'une étrange cérémonie au cours de laquelle on se servait d'une rave de dimension respectable ou d'un gros poisson pour l'empaler. On cite même le cas d'un malheureux qui prit la fuite à travers les rues de Rome portant au derrière cette marque d'infamie [12].

L'Angleterre médiévale a peut-être connu un supplice plus raffiné. L'amant fornicateur était cloué à une planche par l'endroit même où il avait fauté. Près de lui, un rasoir. Libre à lui de s'en servir comme bon lui semble. Cruel dilemme [13] ! Au XVIIIe siècle, le juriste Fournel confirme la cruauté des lois anglaises en se servant de sources fort crédibles. Jusqu'au XVe ou XVIe siècle, la femme adultère était rasée, traînée nue de ville en ville, flagellée et lapidée à mort en présence de ses parents et d'une foule de curieux. Le séducteur connaissait un sort moins douloureux : il n'était que pendu.

A la même époque, plusieurs chartes communales mentionnent en France des usages plus pittoresques et moins sauvages. Il semble que la société, s'estimant lésée par le crime de fornication, ait pris le joyeux parti de s'en dédommager en exigeant des coupables une exhibition fort curieuse.

Au cours d'une kermesse d'un genre singulier qui, d'un certain point de vue, s'apparentait au charivari, le couple adultérin était condamné à courir entièrement nu à travers les rues de la ville sous les yeux amusés des badauds. Parfois, les amants devaient suivre, dans le même état de simplicité vestimentaire, les processions les plus solennelles. Dans certaines villes, comme à Vienne, on permettait aux coupables de garder une chemise, mais la femme était contrainte de la relever bien haut, car elle devait y retenir de grosses pierres, ou de la laisser tomber bien bas, découvrant ses mamelles et cachant ses parties naturelles *(usque ad mamellas, ne appareant naturalia).*

En d'autres lieux, une circonstance rendait la promenade encore plus indécente. A Martel, à Clermont Soubiran (Languedoc), la femme tenait d'une main le bout d'une ficelle dont l'autre extrémité était attachée aux parties génitales de son amant. Les riches échappaient généralement à la mascarade en versant aux autorités communales une compensation pécuniaire [14]. Le mari trompé faisait aussi les frais de la liesse populaire. On lui faisait faire le tour de la ville coiffé d'un bonnet d'âne, à califourchon sur une mule, la tête vers la queue [15].

La législation classique concernant l'adultère est en place dès la fin du xve siècle. Moins exubérante, elle n'en garde pas moins une forte teinture baroque. Mais, à la différence des coutumes médiévales, il s'en dégage de puissantes tendances misogynes. La loi ne connaît désormais qu'une seule victime, le mari ; qu'une seule plainte, la sienne ; qu'un seul coupable, la femme infidèle. Le contraire serait jugé indécent : on ne porte pas plainte contre son supérieur hiérarchique, contre son maître. Accessoirement, le ministère public peut engager des poursuites, encore faut-il que le scandale soit flagrant et susceptible d'offusquer la société.

Une jeune femme accouche le jour de ses noces des œuvres de son cousin germain. Le mari, qui n'avait rien remarqué d'anormal jusque-là, porte plainte puis se ravise. Mais le procureur fiscal, emporté par le zèle de bien public, reprend l'affaire à son compte et la soumet à la justice [16].

Dans quelques cas, la plainte peut émaner d'un membre de la famille. Tel mari est sourd et muet, et c'est le père de l'épouse abusive qui prend en main les intérêts de son gendre [17]. Mais il n'est pas prudent de porter plainte contre un ecclésiastique. Un certain Du Crotoy du Belloi accuse sa femme d'une liaison adultérine avec un vicaire. Les conclusions de l'enquête lui donnent tort. Il doit verser 10 000 livres de dommages et intérêts au prêtre diffamé et se rétracter publiquement [18]. En vérité, la soutane confère une étrange et confortable immunité. Un échange de « baisers libertins » fait peser de lourds soupçons sur le vulgaire pécheur, tandis que prodigués par un clerc, ils font figure de « bénédiction » ou d'« embrassements fraternels et religieux [19] ». En cas de culpabilité prouvée, le prêtre n'est en définitive condamné qu'au paiement d'une simple amende [20].

Les juristes reconnaissent d'ailleurs la difficulté de prouver un acte dont l'essence même est d'être secret. Lorsque les deux délinquants, ou présumés tels, sont trouvés *complexa venereo juncti, illa sub, ille super,* c'est-à-dire « unis dans un embrassement charnel l'un sur l'autre », il n'y a, dit le scrupuleux Fournel, qu'une simple « présomption de crime » ! Le témoin, dans une situation souvent inconfortable, n'a-t-il pas aperçu « les objets d'une manière oblique » ? Dans la plupart des cas, c'est à travers une fenêtre fermée, par la fente d'une porte entrouverte ou un trou de serrure que le témoin a observé la scène. Les témoins muets, habits ou chaussures oubliés par le séducteur sur le lit de la femme infidèle, sont plus convaincants [21]. Gageons qu'un mari désireux de compromettre sa femme en aura tiré la leçon !

Jusqu'au XVIIe siècle, la peine de mort pèse épisodiquement sur les coupables. C'est ainsi que le 20 novembre 1568 le parlement de Bretagne condamne Renée Faucheux à la pendaison. En dépit du recours en grâce déposé par son mari, elle est pendue sur la place publique [22]. Châtiment exceptionnel dans les affaires ordinaires, le dernier supplice est requis d'office, même au XVIIIe siècle, lorsqu'il s'agit de punir les « valets, serviteurs ou facteurs ou clercs ou métayers » qui ont eu l'audace de séduire leur maîtresse[23]. Sévérité salutaire ! « Les femmes les plus distinguées, dit Fournel avec amertume, n'ont pas dédaigné de chercher dans la classe la plus vile des complices de leur débauche. » En de pareilles circonstances, la culpabilité du serviteur est d'ailleurs constante, même lorsque les amorces du désir ont été suscitées par la femme.

Une maîtresse de cabaret sollicite ainsi par deux fois les faveurs de son serviteur, « l'une fois auprès du feu et se descouvrant jusques aux cuisses, l'autre fois la gorge et tétins. De tels esperons le jeune homme eschauffé se mit en volonté de la cognoistre ». Un arrêt de 1551 condamne le malheureux valet à « estre pendu et estranglé au gibet ». Son maître, qui n'avait pas porté plainte, était même intervenu en sa faveur. Mais le ministère public était resté de marbre[24]. Pour une fois, la répression frappait un homme. C'est que l'on ne transige pas lorsque l'ordre social est bafoué !

La peine de l'« authentique ».

Dès le début du XVIᵉ siècle, c'est cependant la peine de l'« authentique » qui sanctionne le plus souvent les débordements de la femme adultère. La délinquante est enfermée dans un monastère. Si, au bout de deux ans, le mari ne l'en a pas retirée ou vient à décéder, elle est rasée, voilée, vêtue comme les autres religieuses et cloîtrée à vie. A moins que l'époux, qui dispose de pouvoirs discrétionnaires, ne l'en fasse sortir. « Il ne seroit ni juste ni légitime, écrit Fournel, de refuser au mari la restitution de la femme, puisque la peine a été infligée sur sa requête et pour sa vengeance... D'ailleurs, sa femme est son bien, sa compagnie peut être nécessaire au repos de sa vie — *propter fornicationem* — [en raison du désir charnel]... En priver le mari qui la réclame, ce serait faire participer l'innocent à la peine du coupable[25]. » Moralement, l'épouse est donc ravalée au rang d'un objet dont la jouissance exclusive appartient au propriétaire.

La réclusion monacale était en même temps d'une subtile utilité au mari soucieux de bien gérer ses intérêts. La femme y perdait en sa faveur son douaire, sa dot, son préciput et tous les autres avantages stipulés par le contrat de mariage.

Jusqu'au XVIIe siècle, une étrange cérémonie, à forte coloration sadique, précédait l'entrée dans un couvent.

C'est ainsi qu'en 1523 le parlement de Bordeaux condamne une femme à « estre battue de verges par deux sergens de sainte Marie Magdeleine ». En 1594, un arrêt du même genre précise qu'une condamnée « sera battue de verges pendant trois vendredis par les ministres de la Conciergerie de la cour et mise en un couvent pour y demeurer l'espace de dix ans ». Certains détails rendent le cérémonial encore plus indécent. La malheureuse est tondue, on lui découpe sa robe « devant et derrière, tellement que ne lui demeure que la chemise ». Elle est ensuite, « court vestue ignominieusement par les rues », menée jusqu'à son lieu de réclusion[26].

La mort du mari, le remariage rédempteur pouvaient, dans certains cas, sauver la condamnée. En 1673, Marie Joisel est reléguée dans un monastère de Melun. Son mari meurt sept ans plus tard. On retrouve dans ses papiers une note rédigée en latin indiquant qu'il s'oppose fermement à titre posthume à la libération de sa femme : *lex est quam Maria Joisel me mortuo sequi volo.* Mais un certain Thomé, docteur en médecine, s'éprend de la recluse. Il veut l'épouser et dépose une requête en ce sens. La famille du défunt s'y oppose violemment. Mais, après un vigoureux plaidoyer de l'avocat général Talon en faveur de Marie Joisel, elle est déboutée de son opposition et le mariage autorisé[27]. Mais toutes les séquestrations n'ont pas un dénouement aussi heureux et, dans bien des cas, le décès du mari suscite des espoirs vite déçus[28].

Pour quelques maris soucieux de se débarrasser d'une femme trop encombrante, le couvent a d'ailleurs pu faire figure d'exutoire providentiel. Dans un bel élan de générosité, Louis Semitte remet à sa femme, Gabrielle Perreau, une note laconique et pernicieuse : « Je permets de faire avec qui vous voudrez, vous m'entendez bien. » A la faveur de cette permission tacite, Gabrielle, que sa beauté avait rendue légendaire sous le surnom de « la belle épicière », s'éprend d'un banquier, Nicolas Goy, et cède à ses instances. Contre toute attente, le mari porte plainte. Il obtient l'internement définitif de sa femme dans deux couvents d'abord, à l'Hôpital général enfin. Les magistrats avaient affecté de ne voir dans ce fameux billet qu'une aimable plaisanterie[29].

On a prémédité des vengeances encore plus sordides. Une riche et jeune veuve de province épouse « un chevalier des mieux tournéz » mais qui, pour toute richesse, ne possède que ses titres de noblesse. Quelques années s'écoulent, sans enfants. La femme part pour Paris, toute seule, avec la bénédiction de son mari. Au bout d'un an, elle en revient avec l'espoir d'une naissance prochaine. On l'entoure de prévenance, de tendresse, d'amour. Au comble du bonheur, elle met au monde un garçon. Mais le réveil est foudroyant. Un conseil de famille délibère, on la livre à la justice. La voilà dans un couvent, pour la vie. Sa fortune est adjugée à l'enfant, c'est-à-dire au mari. Fort curieusement, le Dr de La Motte ne relate cette histoire tragique que pour montrer que l'enfant, qui n'a pas été nourri au lait de sa mère, n'en a donc pas recueilli les vices[30] !

Le complexe de l'Amazone.

En fait, la féroce répression qui frappe les épouses infidèles cache une réalité bien plus subtile : la hantise

145

permanente d'une domination de la femme dans le cadre du mariage. De ce terrible complexe de l'Amazone, les traditions populaires offrent souvent un reflet cocasse à travers une multitude de fabliaux et de *contes à rire* où l'image du mari allégrement trompé et rossé par son indigne et acariâtre moitié occupe une place privilégiée. En haut lieu, on retrouve cette représentation d'un univers au sein duquel la hiérarchie est bafouée jusque sous la plume des juristes les plus éminents.

Dès le XVIe siècle, le juriste Damhoudere déplore que la mansuétude des maris fasse du mariage un asile de débauche où les paillardes s'affranchissent de la tutelle de leurs parents pour tomber sous la coupe de leur amant. Et sur ce thème, les exemples précis sont innombrables, aiguisant jusqu'à l'aigreur l'amertume de cet auteur qui, en l'occurrence, fustige moins la femme débauchée que le mari dont la tolérance coupable encourage l'émancipation des épouses et la désagrégation rampante de l'autorité masculine[31].

Selon Fournel, l'adultère n'est plus considéré, au XVIIIe siècle, que comme une «espièglerie», et la condition de cocu est devenue «bien digne de compassion[32]». C'est encore le sentiment de Sébastien Mercier : «Un homme qui veille sur sa femme passe pour jaloux et on le blâme. Est-elle infidèle? on ridiculise le mari.» Le plus souvent, un procès en fait la risée du public. Le Dr Doppet a croqué au vif l'atmosphère qui règne alors dans le prétoire. Un mari porte plainte contre sa femme, «la femme se défend en badinant sur la chose; les scribes, les clercs, les procureurs, les greffiers, les avocats, les rapporteurs, les petits juges... tout le monde rit. En fin de compte, l'arrêt innocente la femme, tandis que le mari est toujours cocu[33]».

Et comment, dans de telles conditions et notamment en milieu aristocratique, un mari aurait-il pu traîner sa femme adultère dans le prétoire sans se couvrir d'infamie? Au XVIIIe siècle, plusieurs grandes liaisons adultérines ont défrayé la chronique. Grimm a été l'amant de Mme d'Épinay, et Mme de La Poplinière, entre bien d'autres, la maîtresse du maréchal de Richelieu. Imagine-t-on deux des plus prestigieux fermiers généraux du royaume « supplier » la justice et faire jeter leur épouse dans un couvent, sinon à l'Hôpital général ?

C'est dans cette mesure que l'épaisse réaction misogyne qui se manifeste au niveau des lois prend le sens d'une réaction teintée de désespoir. L'homme semble aux abois, et la violence du législateur fait dès lors écho à son désarroi de façon bien platonique, dans la plupart des cas. En vérité, le recours à la justice reste tout à fait exceptionnel. De là, sans doute, la célébrité des grands procès en adultère aux XVIIe et XVIIIe siècles. L'institution était beaucoup trop spectaculaire pour être efficace. Il faut attendre le XIXe siècle et le triomphe des féministes paternalistes et d'une bourgeoisie soucieuse de bonne gestion pour que la procédure discrète et radicale du constat d'huissier mette à la disposition du mari trompé une arme vraiment redoutable.

Mais jusque-là, combien de femmes adultères auront payé dans leur chair l'impunité de la plupart des femmes libres en servant de bouc émissaire à un sexe frustré dans son amour-propre ?

8

Les mythes dépoussiérés
du siècle des Lumières

Au siècle des Lumières, le discours sur la femme est soumis à un double processus de rationalisation et de diversification. A côté des néo-baroques qui, contre vents et marées, s'inscrivent encore dans le sillage de la tradition scolastique la plus pure, plusieurs nouveaux courants de pensée prennent corps. Tandis que des auteurs comme le Dr Roussel ou le littérateur Thomas jettent les bases du féminisme paternaliste avec la prétention inavouée de soumettre les femmes par la séduction, d'autres féministes, comme Condorcet, donnent déjà au féminisme le plus authentique une forme étonnamment moderne.

Quant aux misogynes, ils ne désarment toujours pas. Au contraire, ils s'épanouissent dans la diversité : ecclésiastiques nostalgiques et nouveaux stratèges du renoncement, bourgeois apeurés dont les vieilles névroses ont endossé la livrée du rationalisme, médecins érigés en médiateurs suprêmes d'un nouvel ordre moral...

Et pourtant, ce sont encore les néo-baroques qui soulèvent cette lame de fond qui déferle sur un public toujours glouton d'écrits sur la femme.

Les néo-baroques.

Les ouvrages, misogynes ou féministes, qui s'inscrivent dans la filiation de l'*Alphabet* ou dans la tradition des prédicateurs baroques sont indéniablement les plus nombreux, et il serait fastidieux, sinon inutile, d'en faire le recensement. La misogynie viscérale d'un Barbantane ou d'un Drouet de Maupertuis a pourtant de quoi surprendre à l'apogée du siècle des Lumières.

Dans le style de Jacques Olivier, Barbantane englobe toutes les femmes dans un même anathème. « La chaste est un écüeil, l'impudique est une source de scandale, la laide est une cause de chagrin, la belle est une source d'embrasement [1]... » Inlassablement torturé par cette « prunelle » de femme qui « fait plus de ravages dans le cœur de l'homme que le feu n'en fait dans les forêts », cet archevêque considère encore la femme comme un « serpent adroit et un fier ennemi de l'homme qui dresse des embûches aux âmes », comme un « redoutable adversaire du genre humain », l'« huissier du diable », le « boulet d'enfer », la « bombe ». Sa chair est une « chair de rébellion, d'ordure et de mort », c'est « une terre de malédiction », une « fourmilière de tentation » et la passion qu'elle suscite « s'enracine dans nos cœurs de la bavette jusqu'au tombeau, depuis la sage-femme jusqu'au fossoyeur [1] ».

La névrose de l'abbé Drouet de Maupertuis illustre la persistance des phobies patrologiques alors même que les idées de Voltaire commencent à se répandre. Son premier livre, *le Commerce dangereux entre les deux sexes* [2], porte le délire à son paroxysme. D'emblée, nous voilà avertis : « L'auteur de ce traité est un solitaire qui, depuis qu'il a quitté le monde, ne s'occupe dans sa retraite, qu'à pleurer les égaremens passés [3]. » Et là, ressassant aigrement les désordres d'une vie criminelle consacrée à la luxure, notre abbé patauge dans ses hantises avec une complaisance morbide. Le fruit de ses méditations nous laisse songeur :

149

Rien n'est plus dangereux que l'abord d'une femme, il faut fuir, c'est plus sûr, c'est l'unique parti qu'il y a à prendre dans une occasion aussi périlleuse que celle-ci...
S'entretenir avec une femme, c'est souvent dormir avec une femme...
Il faut éviter avec un soin extrême de toucher une femme et prendre exemple sur saint Nizier. Non seulement il ne toucha jamais aucune femme, mais même il évitait de toucher les jeunes enfans...
Les vieilles et les laides ne sont pas moins redoutables car elles ont recours à l'art lorsque la nature leur manque.
[Suprême consolation] : L'esprit des femmes est bien plus propre à faire naître du dégoût qu'à allumer la passion.

Avec une constante langueur, de telles litanies alimentent les 410 pages du *Commerce dangereux,* et l'auteur récidive dans le même esprit, quelques années plus tard, en écrivant *la Femme foible.*

Et tandis que les idées philosophiques de Voltaire et de Diderot révolutionnent en profondeur les structures de pensée traditionnelles, Drouet de Maupertuis fait école à travers une foule d'émules médiocres et rétrogrades qui opposent aux progrès des Lumières une force d'inertie que l'on ne peut pas ignorer.

L'option « misogyne » de Mlle Archambault repose sur d'autres principes. Doublement paradoxale, elle émane d'une femme qui se proclame féministe dans la première partie de *la Cause des dames* et résolument misogyne dans le seconde partie[4]. Étrange souci de mesurer le *pour* et le *contre* à la façon d'un Poullain de La Barre. Mais, à la différence de ce dernier, Mlle Archambault développe un discours anachronique digne des scoliastes les plus endurcis.

Sans doute, écrit-elle par exemple, Judith se couvrit-elle de lauriers en tranchant la tête d'un général assyrien. Mais, pour cet acte de bravoure, c'est Dieu qui a choisi un représentant du beau sexe pour montrer l'étendue de sa puissance. En définitive, « la femme n'est qu'un supplément de la nature ou une addition». Encore cette «addition» n'est-elle pas sans dangers puisque «presque toutes les guerres les plus sanglantes» ont pour origine «l'ambition, la jalousie et les secrèttes intrigues des femmes».

Les plus nombreux, il est vrai, font franchement profession de féminisme. Mais leurs plaidoyers n'en restent pas moins d'un goût douteux.

Alexandre de La Rivière émaille son *Partisan des femmes*[5] de métaphores rocambolesques : «Les femmes sont aux hommes ce que le soleil est aux fleurs» et leurs bouches sont «comme des canaux d'où coule la vertu». Ou encore, «la femme est à l'homme ce que les eaux douces d'un ruisseau sont aux fleurs d'une prairie dans les jours brûlans de l'été»...

Dans l'*Apologie du beau sexe*[6], Jean Philippe Caffiaux frise l'indécence à travers la mise en équation des comportements féminins et masculins réduits à leur expression la plus simple : chasteté de la femme naturellement retranchée du monde, même dans les pays barbares/coloration homosexuelle des perversions masculines. Ainsi, les femmes turques ne dévoilent jamais leur visage et se croiraient déshonorées en montrant leurs pieds. En Chine, une malade ne se montre jamais à son médecin. Celui-ci doit «deviner» la maladie «par le seul battement de l'artère qu'il touche en trois endroits du bras à travers un linge fin». Et certains Arméniens n'ont jamais vu le visage de leur femme qui n'accepte de se dévoiler que dans l'obscurité la plus complète. A l'inverse, l'homme se complaît dans ses turpitudes. Jupiter n'était qu'un débauché et Jules César «étoit le mari de toutes les femmes et la femme de tous les maris». Caligula épouse le jeune Sporus, Héliogabale se fait châtrer...

Quant à l'auteur anonyme de la révolte académique de *l'Ingénue*[7], il porte témoignage de cette indignation qui a pu si justement soulever quelques femmes. Mais, en manipulant à rebours les arguments des misogynes viscéraux, l'auteur entonne une litanie gynécocrate de bien médiocre envergure : « Fuyez d'ici, sombres misanthropes, ennemis de mon sexe ; fuyez, la brillante aurore ne fut point faite pour les hiboux, l'amour n'est point fait pour vos cœurs ; et vous aimables volatiles, favoris du plaisir, approchez... »

L'œuvre de Mme de Lambert émerge de ce fatras. C'est en marge de toute agitation frénétique et d'une plume sereine et dévote que cette misogyne empanachée met ses talents littéraires au service de l'idéal de renoncement prôné par l'Église à la fin du XVIIe siècle.

Le morne univers de Mlle de Lambert.

Lorsque Mme de Lambert dédie à ses enfants l'*Avis d'une mère à son fils et à sa fille* (1725), elle se situe dans le sillage de l'abbé Fleury, de Fénelon et de Mme de Maintenon[8]. En règle générale, il s'agit d'accorder à la femme un savoir nécessaire, sans doute, mais chichement distillé. De fait, l'émancipation des femmes par l'accès à la connaissance, jadis exalté par les précieuses, n'est plus qu'un lointain souvenir. Encore ne le perçoit-on plus qu'à travers ses aspects les plus burlesques. La soumission de la fille et de la femme à ses parents, à son mari et à l'Église devra être en outre totale.

Ainsi, la pensée de Fénelon, celles de Mme de Maintenon, de l'abbé Fleury et de Mme de Lambert constituent une tentative nouvelle et délibérée pour enfermer la femme. Sans doute ne la refoule-t-on pas totalement, par l'injure et par la violence, à l'image des misogynes viscéraux, ou en l'étouffant à l'intérieur d'un carcan vestimentaire, selon le vœu des prédicateurs bigots. Ici, ce sont les stratèges chrétiens du renoncement qui entrent en lice. Une fois de plus, la démarche vise à l'isolement de la femme dans son foyer. Le procédé, plus feutré, est aussi plus efficace : « Vivre chez soi, écrit Mme de Lambert avec résignation, ne régler que soi et sa famille, être simple, juste et

modeste », voilà l'idéal de la femme ! Quant aux vertus
d'éclat, « elles ne sont point le partage des femmes ; mais
bien les vertus simples et paisibles ».

D'une façon un peu paradoxale et avec un sens aigu de
la finalité, Mme de Lambert recommande à sa fille de
plaire. « Il ne faut pas, dit-elle, négliger les talens ni les
agrémens puisque les femmes sont destinées à plaire. » Mais
l'art de plaire ne procède naturellement d'aucune vaine
coquetterie. C'est au contraire une nécessité de compensation qui fait écho à cet état de frustration sociale qui est
l'apanage des femmes. « Les filles naissent avec un désir
violent de plaire, comme elles trouvent fermés les chemins
qui conduisent à la gloire et à l'autorité, elles prennent une
autre route pour y arriver et se dédommager par les
agrémens. » Nécessité de plaire d'ailleurs assortie d'un
certain nombre de restrictions, et non des moindres. Il faut
plaire par sa chasteté, par sa pudeur, par sa modestie.

Cette même modestie sert de fil conducteur au pro-
gramme d'études tracé par Mme de Lambert à l'usage de
sa fille. L'histoire grecque et romaine « élève l'âme, nourrit
le courage par les grandes actions qu'on y voit ». En ce qui
concerne les langues, « une femme doit se contenter de
parler celle de son pays », à l'exception du latin, langue
d'Église. « Les femmes apprennent volontiers l'italien, qui
me paroît dangereux ; c'est la langue de l'amour, les auteurs
italiens sont peu chatiez... La poésie peut avoir ses incon-
véniens... » Aussi doit-on se contenter de lire, avec précaution, un peu de Corneille. Mais c'est la lecture des romans
qui est « la plus dangereuse... Elle allume l'imagination,
affaiblit la pudeur, met le désordre dans le cœur ». Quant
aux sciences, décrétées inaccessibles à de faibles esprits,
elles seront définitivement écartées.

Dans ce climat d'asepsie intellectuelle, que reste-t-il en
deçà de l'horizon culturel de la femme ? De l'histoire, du
latin, du Corneille, à la rigueur.

Et toute jeune fille de condition évolue dans une atmosphère d'autant plus austère que Mme de Lambert recom-

mande aux personnes du sexe de fuir les agressions morbides et l'amour et des passions.

> L'amour ne vous présente dans les commencemens que des fleurs, mais dès qu'il s'est fait sentir, fuyez, n'écoutez point les plaintes de votre cœur ; l'amour ne s'arrache point de l'âme avec des efforts ordinaires, il a trop d'intelligence avec notre cœur ; dès qu'il vous a surpris, tout est pour lui contre vous, et rien ne peut vous servir contre l'amour. C'est la plus cruelle situation où une personne raisonnable puisse se trouver.

La dimension misogyne de l'ouvrage est encore soulignée par l'*Avis d'une mère à son fils*. L'homme est né pour une destinée glorieuse, version positive du renoncement féminin.

> Tout homme qui n'aspire pas à se faire un grand nom n'exécutera jamais de grandes choses... Il faut, par de grands objets, donner un grand ébranlement à l'âme, sans quoi, elle ne se mettroit point en mouvement... Fidèle au sang dont vous sortez, songez qu'il ne vous est pas permis d'être un homme médiocre... Le mérite de vos pères rehaussera votre gloire, et sera votre honte si vous dégénérez.

A ce titre, Mme de Lambert exalte la vertu militaire de ses aïeux et de ce grand-père, gouverneur de Metz, qui s'illustra en refusant les « cent mille francs que les juifs lui offrirent pour avoir l'autorisation de ne plus porter de chapeau jaune ».

Toutes les qualités susceptibles de propulser l'homme en société sont par ailleurs énumérées : franchise, amour-propre, libéralité. Autant de vertus qui n'intéressent guère les femmes !

Oui, l'horizon de Mlle de Lambert est bien morne et le sort de chacun bien mal départagé. Encore le discours de Mme de Lambert ne reflète-t-il que l'un des aspects, et des plus décadents, de la pensée misogyne du siècle des Lumières. Car en marge de cet idéal ecclésiastique et aristocratique du renoncement, les progrès de la pensée laïque et rationaliste épousent la courbe ascendante des conquêtes idéologiques de la bourgeoisie. Et dans le cadre de ce nouveau courant de pensée, il existe une tendance franchement hostile à la femme.

Les francs misogynes.

A côté des néo-baroques, qui sont les plus nombreux, et de ces féministes paternalistes, dont nous reparlerons et qui sont les plus représentatifs, quelques francs misogynes recueillent l'héritage rationalisé des misogynes viscéraux de la Renaissance et du XVIIᵉ siècle.

Sur les franges du féminisme paternaliste et de la misogynie intégriste, Jean-Jacques Rousseau occupe une position ambiguë. Sans doute retrouve-t-on dans *Émile* le credo paternaliste énoncé par le Dr Roussel quelques années plus tôt et repris par le Dr Virey quelques années plus tard : «Dans l'union des sexes, écrit-il notamment, chacun concourt également à l'objet commun, mais non de la même manière... L'un doit être actif et fort, l'autre passif et faible : il faut nécessairement que l'un veuille et puisse, il suffit que l'autre résiste.» Mais, à la différence des féministes paternalistes, Rousseau ne s'encombre pas de ces subtilités qui émaillent avec délicatesse la prose de Roussel et de Virey. Son style est beaucoup plus direct, beaucoup plus brutal et incisif aussi. Le charme des femmes, dont il reconnaît la réalité, ne lui inspire aucune digression flatteuse, aucune envolée lyrique. «La femme est faite pour plaire à l'homme, proclame-t-il en substance. Si l'homme doit lui plaire à son tour, c'est d'une nécessité moins directe : son mérite est dans sa puissance ; il plaît par cela seul qu'il est fort.» Aussi la femme doit-elle être «subjuguée, elle doit se rendre agréable à l'homme au lieu de le provoquer ; sa violence à elle est dans ses charmes». En d'autres termes, «l'un triomphe de la victoire que

155

l'autre lui fait remporter. De là naissent l'attaque et la défense, l'audace d'un sexe et la timidité de l'autre ».

Tels sont les rapports de forces qui doivent nécessairement régenter le comportement des deux sexes. Le contraire provoquerait la perte irrémédiable du genre humain, car la femme, par son influence délétère, porte en elle le germe de la décadence et de la tyrannie [9]. Une stricte ségrégation des sexes doit donc séparer les hommes libres des femmes cloîtrées, neutralisées dans le gynécée. C'est dans son foyer que la nature a refoulé la femme idéale. *La Nouvelle Héloïse* en est la parfaite illustration. Devenue Mme de Wolmar, Julie se consacre à sa maison avec une diligence qui s'apparente au sacerdoce. En définitive, c'est en sa stricte qualité d'épouse et de mère que la femme doit s'insérer dans la société.

L'ambiguïté des références misogyne ou féministe apparaît de façon encore plus éclatante à travers deux œuvres contradictoires de Choderlos de Laclos.

Dans *les Liaisons dangereuses,* ce stratège libertin érige la femme en citadelle. En mathématicien voluptueux, il la met en équation géométrique. Dès lors, le plaisir devient inversement proportionnel à la facilité. La « femme objet », subjuguante et pitoyable, vient de naître sous sa forme la plus distinguée. Cécile de Volanges est donc investie froidement, méthodiquement, cyniquement, et lorsqu'elle s'effondre, c'est dans des conditions atroces. Même si le glaive de la justice immanente pourfend l'odieuse marquise de Merteuil, Choderlos de Laclos n'en reste pas moins le père spirituel de ses tristes héros, et c'est incontestablement sous l'empire de la fascination qu'il les imagine avec un génie consommé.

Or, dans son discours sur l'éducation des femmes [10], voilà que ce fin connaisseur des artifices sociaux de son temps se transfigure soudain en émule, sinon en plagiaire incertain, de Jean-Jacques Rousseau. Il faut dire que Choderlos de Laclos sacrifie au goût nouveau dans ce petit essai falot à l'usage d'un concours académique et que la sensiblerie de *la Nouvelle Héloïse* le fascine infiniment moins que la rouerie de la marquise de Merteuil ou que l'innocence à souiller de Cécile de Volanges. Ainsi, l'ennui se substitue au génie dans le sillage servile de Jean-Jacques, et l'opposition manichéenne entre la «femme sociale», qui porte le germe de la perversion, et la «femme naturelle», qui inspire à l'auteur une succession d'envolées apologétiques, n'emporte guère les convictions :

> Femmes coquettes et dédaigneuses, regardez autour de vous. L'ardent jeune homme vous recherche. Ce n'est pas l'âge difficile ; mais celui qui commence à perdre ses forces n'en trouve plus pour vous ; il se ranime encore à la vüe d'une jeune et naïve villageoise. Tant est grand le charme de la nature...
> Sa taille est grande et forte, et ses embrassements, que sans doute l'homme naturel trouve trop faible encore, étoufferaient nos délicats petits maîtres.
> Sa parure est sa chevelure flottante, ses parfums sont un bain d'eau claire. Cet état, nous osons l'assurer, est le plus favorable à la jouissance...

Il est vrai que pour Sébastien Mercier cette femme idéalisée n'est qu'une vue de l'esprit. La réalité immédiate offre, hélas, un spectacle fort différent. A ce niveau, les affinités entre le discours misogyne de ce chroniqueur et le discours xénophobe classique sont évidentes :

> La remarque de Jean-Jacques Rousseau n'est que trop vraie ; que les femmes à Paris, accoutumées à se répandre dans tous les lieux publics, à se mêler avec les hommes, ont pris leur fierté, leur audace, leur regard et presque leur démarche.
> Ajoutons que les femmes, depuis quelques années, jouent publiquement le rôle d'entremetteuses d'affaires. Elles écrivent vingt lettres par jour, renouvellent les sollicitations, assiègent les ministères, fatiguent les commis. Elles ont leurs bureaux, leurs registres ; et à force d'agiter la roue de fortune, elles y placent leurs amants, leurs maris et enfin ceux qui payent[11].

Chez Restif de La Bretonne, l'idéal de contrainte est poussé jusqu'à la démence dans ce délirant *Projet de règlement* qu'il propose pompeusement « à toute l'Europe », pour remettre, selon ses propres termes, « les femmes à leur place et, par ce moyen, travailler efficacement à la réformation des mœurs ». L'inégalité radicale qui sépare les mâles des femelles doit être consacrée dès le berceau. C'est ainsi que les filles « seront emmaillotées, au lieu que les garçons ne le seront pas du tout, les mouvemens de la fille devant être retenus et contraints dès le premier instant de la vie, et se ressentir de la modestie qu'on lui doit inspirer ». Les garçons, à l'inverse des filles, ne doivent pas être caressés durant leur enfance, « parce que cela rapetisse leur esprit et leur énerve le caractère ».

Restif de La Bretonne va encore plus loin dans la description de cet univers carcéral et dantesque à l'intérieur duquel il rêve d'enfermer les femmes. Rien n'est laissé au hasard : uniformes, tribunaux, surveillance policière... « Il sera défendu à tout jeune homme de jamais adresser la parole aux filles qu'ils rencontreront, sous peine d'une réprimande publique et même d'une plus grande peine en cas de récidive. » « Un registre de la conduite des filles » sera même tenu à jour. Toutes les fautes de conduite, toutes les indécences, toutes les négligences dans le travail y seront scrupuleusement consignées [12].

Encore n'est-ce pas tout ! Dans sa cervelle chimérique, notre réformateur échafaude un plan d'éducation conforme à l'état social de chacune. « Seules les filles riches apprendront la danse, la musique, et les autres choses agréables. » Par ailleurs, on leur apprendra à lire mais non pas à écrire ! Quant à ces filles de la « populace », elles « ne seront occupées qu'au travail, l'écriture et même la lecture ne pouvant leur être que préjudiciables [13] ».

Quelques années plus tard, le juriste Sylvain Maréchal renoue avec la tradition scolastique dans un *Projet de loi portant défense d'apprendre à lire aux femmes* (1803). Les considérants de ce projet ne manquent pas de saveur :

Que si Catherine de Médicis n'avait point su lire, il n'y aurait
pas eu en France de journée de la Saint-Barthélemy.
Que lorsque l'ange Gabriel descendit du firmamant pour
annoncer la conception d'un Dieu, il ne surprit point la bonne
Vierge faisant une lecture.
Que Jeanne d'Arc sut bien délivrer la France sans savoir lire...

Sans doute n'était-ce de la part de l'auteur qu'une
aimable plaisanterie. Mais l'une de ses amies, Mme Gacon-
Dufour, le réfuta fort sérieusement et demanda même son
internement pour raison de démence. Comme la satire
d'Acidalius, le projet de loi de Sylvain Maréchal n'en
traduisait pas moins la persistance d'une foule de préjugés
misogynes dont certains s'exprimèrent à travers le mythe
du complot.

Complot !

C'est la peur panique suscitée par la somme de tous les
dangers incarnés par le « beau sexe » qui a fait germer dans
l'esprit de quelques-uns l'idée que la femme serait fort bien
capable de briser, un jour ou l'autre, le carcan des lois qui
la maintiennent dans une soumission salutaire pour usurper
les pouvoirs que les hommes se sont arrogés.

Dans la mythologie grecque, les Parques et les Érinyes
incarnent déjà l'image de la femme destructrice qui médite
dans l'ombre la perte du genre humain, et les Amazones
traduisent dans les faits la réalité du péril.

Dès le XVIᵉ siècle, Érasme imagine les femmes réunies en
assemblée et proclamant, dans un grand élan de contesta-
tion, leur volonté de s'affranchir du joug que les hommes
font peser sur elles.

Attachées uniquement à la quenouille et au filage, nous
avons eu, disent-elles, l'imprudence d'abandonner notre cause.
Qu'est-il arrivé de cette négligence et de cet aveuglement ? C'est

que nous n'avons parmi nous aucune forme, aucune discipline de République, et les hommes ne nous regardent presque comme de jolies machines, faites par le grand artisan de la nature, pour leur plaisir et pour leur amusement. Ces tirans, ces usurpateurs, daignent à peine nous donner une petite part de l'espèce humaine[14].

Au XVIIᵉ siècle, l'avocat Caillet frémit encore en songeant à ces Amazones qui secouèrent jadis le joug conjugal, chassèrent leurs maris, « éleurent des roynes sous la conduite desquelles elles firent heureusement la guerre à leurs voisins avec un courage martial ». En poussant l'abomination à son comble, elles « empruntoient les hommes en certaines saisons de l'année, afin d'en avoir des enfants pour la conservation de leur race et la manutention de leurs Estats[15] ».

Et qu'en est-il au siècle des Lumières ?

Jean-Jacques Rousseau, le premier, témoigne de la persistance du complexe de l'Amazone à travers un discours à peine rationalisé par un recours à cette hypothèse climatique si chère aux philosophes. L'égalité des hommes et des femmes n'est qu'une chimère et « s'il était quelque malheureux climat sur la terre où la philosophie eût introduit cet usage, surtout dans les pays chauds où il naît plus de femmes que d'hommes, tyrannisés par elles, ils seraient enfin leurs victimes et se verraient traîner à la mort sans qu'ils pussent jamais s'en défendre[16] ».

Diderot lui-même évoque l'existence de ce complot larvé susceptible d'unir toutes les femmes dans un même frémissement subversif :

> Animées d'une haine profonde et secrète contre le despotisme, il semble qu'il y ait entre elles un complot facile de domination, une sorte de ligue, telle que celle qui subsiste entre les prêtres de toutes les nations. Elles en connaissent les articles sans se les être communiqués. Naturellement curieuses, elles veulent savoir, soit pour user, soit pour abuser de tout[17].

Le complexe de l'Amazone est encore plus explicite dans *la Colonie,* de Marivaux. Cette pièce, jouée sans grand succès en 1729 à la Comédie italienne et publiée en décembre 1750 dans le *Mercure de France,* contient tous les éléments d'un féminisme avancé, «conscience de caste féminine, mobilisation et militantisme, ton sexiste agressif, sororisme [18]». Il est aussi, et surtout, l'émanation la plus concrète de cette peur diffuse suscitée par la femme.

Sans doute le problème est-il posé dans l'absolu et l'action, parfaitement irréaliste, baigne dans un climat de totale phantasmagorie. Sa signification n'en fait pas moins hautement figure de symbole : chassés par une invasion, les habitants d'un pays ont trouvé refuge dans une île. D'un commun accord, ils décident de se doter de lois égales pour tous. Mais les femmes se précipitent sur l'occasion, revendiquent l'égalité et se donnent des chefs. Devant les réticences des hommes, elles se retirent sur leur Aventin et s'érigent en assemblée révolutionnaire. Mais des querelles intestines lézardent bientôt leur cohésion lorsque quelques-unes conseillent de renoncer à la coquetterie et même de s'enlaidir pour punir leurs adversaires. Aussitôt, les plus jeunes et les plus jolies protestent. Étrange façon, pensent-elles, que de punir en se punissant soi-même. Et «l'éternel féminin» reprend le dessus. Malgré tout, les mutines se mettent d'accord sur un certain nombre de points : elles prendront part à la rédaction des lois, elles auront accès à tous les emplois, elles ne seront plus soumises à leur mari. L'ultimatum est lancé, les femmes ne reviendront qu'à ce prix. Les hommes hésitent. Ils sont sur le point de céder lorsqu'un philosophe imagine d'annoncer que des sauvages viennent d'attaquer la colonie. Pour les femmes, c'est le coup de grâce. Apeurées, penaudes, les voilà dans le giron de leur mari. «Je te pardonne, dit l'une d'entre elles à son époux, va te battre, je vais à notre ménage.» Et tout rentre dans l'ordre.

Le dénouement décevant de *la Colonie* ne doit pas nous induire en erreur. En dépit de l'inéluctable triomphe des

161

mâles, Marivaux a posé un certain nombre de problèmes sur un ton résolument féministe. Mais par-dessus tout, cette pièce est un étonnant reflet des mentalités dominantes. La femme est un être dangereux. Peut-être incapable de renverser l'ordre de la nature, elle n'en a pas moins le pouvoir de causer une multitude de troubles, de dégâts, d'embarras, et, à défaut de les réduire par la force, il faut savoir les intimider par une sorte de chantage permanent.

En fait, le complexe de l'Amazone n'est peut-être après tout que l'une des versions mythologiques du complexe de castration. A travers la perte de sa virilité, l'homme redoute aussi la désagrégation de son autorité sur les femmes. Ainsi s'explique la volonté persistante du XVIIIe siècle de neutraliser la boulimie sexuelle des femmes tout en mettant sa propre virilité au service d'une bonne gestion des rapports sexuels. Mais cette vieille aspiration qui se manifestait jadis dans l'anarchie et le chaos s'exprime, au XVIIIe siècle, à travers un discours totalement rénové.

La bonne gestion bourgeoise du sexe.

Loin de s'émousser, la dénonciation de l'amour et du sexe est désormais soumise à un processus croissant d'excitation, du moins à travers leurs excès ou leurs perversions. Mais la rupture de style qui s'opère au XVIIIe siècle dans le domaine de la répression est d'autant plus spectaculaire que le contrôle des rapports sexuels, qui relevait jusque-là de la prérogative ecclésiastique, tombe désormais dans la mouvance des laïques.

Dans cette entreprise de récupération qui s'intègre dans un schéma beaucoup plus vaste où les prémices intellectuelles de la révolution bourgeoise sont largement perceptibles, l'autorité médicale joue un rôle prépondérant. De là la mise en place de structures visant à neutraliser les « excès » amoureux incompatibles avec le rigorisme du

nouvel ordre en voie de gestation. En fait, la grande
« démoralisation de l'Occident a commencé [19] ».

Au XVIIe siècle, les Drs Ferrand, Liébault et Venette
avaient bien voué aux gémonies de pareils excès. Mais
rabelaisiens de forme et d'esprit, ils ne songeaient guère à
résorber par la contrainte les pétulances d'un sexe mal
tempéré. Au XVIIIe siècle, les filières de culpabilisation se
multiplient, et la répression, plus incisive, se rationalise.
Sous l'œil critique des médecins, deux maladies nouvelles
s'élaborent dans le creuset des grandes névroses traditionnelles : la masturbation et la nymphomanie, ou fureur
utérine.

Facteur radical d'autodestruction, gâchis par excellence,
la masturbation est un vice d'autant plus redoutable qu'il
suppose le consentement d'une seule volonté. D'où l'immense extension d'un mal qui fait bientôt figure de fléau
universel. La perte d'énergie vitale qui en résulte est
d'autant plus désolante et absurde qu'elle n'est jamais
payée en retour. Aussi la campagne de dénigrement menée
avec tant de vigueur contre les pollutions volontaires ne
s'intègre-t-elle pas forcément dans le schéma d'une quelconque volonté systématique de répression sexuelle. Elle
prend sa source dans ce sentiment de peur confuse inspirée
par l'idée d'une possible déliquescence de l'humanité sous
l'effet de l'immense propension au plaisir solitaire.

Avant d'avoir reçu, vers le milieu du XVIIIe siècle, la
caution massive des milieux scientifiques, ce mythe était si
profondément ancré dans les mentalités que les Hébreux
l'avaient déjà, au terme d'une extrapolation abusive, assi-
milé à un meurtre. L'idée est reprise, au début du XVIIe siècle, par le père Benedicti : « Ce péché est si grief qu'il a
esté comparé des docteurs israëlites au meurtre, quand ils
disent que celuy qui le commet est comme celuy qui tue un
homme ou comme ceux qui desfont leurs enfants, selon la
phrase du prophète Isaïe [20]. »

Ainsi, l'Église fait peser sur la masturbation les mêmes
tabous qui ravalent l'avortement au rang de crime.

Mais la psychose ne touche encore que de très loin les milieux éclairés. Au milieu du XVIIᵉ siècle, le juriste Lebrun de La Rochette minimise la gravité du mal et le Dr Venette ne lui assigne que les effets spécifiques et funestes d'un amour excessif. Dans de telles conditions, la condamnation foudroyante des pratiques solitaires n'apparaît véritablement qu'au XVIIIᵉ siècle. Selon la formule de Jacques Solé, « l'Occident des Lumières fut ici le lieu d'une croisade terroriste qui n'eut d'égal que ses lamentations alarmistes devant l'extension des maladies vénériennes. Pareille campagne d'opinion transforma une pratique réprouvée mais anodine, en un drame médical et un danger social [21] ».

C'est un médecin anglais, Bekker, qui, le premier, pousse un cri d'alarme en brossant, dès 1710, un tableau terrifiant du péril onaniste dans son livre *Onania*. Mais c'est une cinquantaine d'années plus tard que le médecin suisse Samuel Tissot reprend et développe les idées de Bekker en leur donnant une extension apocalyptique [22]. Il serait vain de déployer l'éventail de tous les maux suscités par le péché d'Onan. Disons simplement que toutes les maladies y passent, des plus anodines aux plus cruelles, et qu'aucune partie du corps n'est épargnée, depuis le gros orteil jusqu'au cerveau. Pis ! comme le soulignent J.-P. Aron et R. Kempf, la masturbation implique, dans la pensée de Tissot, « une régression vers l'animalité [23] ».

Loin de n'affecter que les hommes, « ce vice paraît même avoir plus d'activité dans le sexe... et tous les jours, écrit Tissot, les femmes livrées à cette luxure périssent misérablement ses victimes ». Phénomène d'autant moins surprenant que l'organisme féminin se prête naturellement, par sa « débilité » bien connue, « à des accès d'hystérie ou de vapeurs affreuses, à des jaunisses incurables, à des crampes affreuses de l'estomac et du dos, à des vives douleurs de nez, à des pertes blanches »...

Dans la pratique, le schéma de culpabilisation de la femme onaniste est soumis à un mécanisme réducteur dûment codifié. « Derrière un plan rigoureux (symptômes, causes, curation), l'onanisme ressasse un même récit clinique qui juxtapose une origine désincarnée abstraite de toute réalité (la masturbation) et le chapelet infini des troubles et des maux qu'elle entraîne [24]. »

Ainsi, à la suite d'un malaise quelconque, le médecin extirpe de sa patiente l'aveu fatal lui-même générateur de névroses :

> Il n'y a pas si longtemps, écrit Tissot, qu'une fille agée de dix-huit ans, qui avoit joui d'une très bonne santé, tomba dans une foiblesse étonnante : ses forces diminuoient journellement, elle était tout le jour accablée par l'assoupissement, et la nuit par l'insomnie : elle n'avoit plus d'appétit et une enflure oedémateuse s'était répandue par tout le corps. Elle consulta un habile chirurgien qui, après s'être assuré qu'il n'y avoit pas de dérangement dans les règles, soupçonna la masturbation. L'effet que produisit sa première question confirma la justesse de son soupçon, et l'aveu de la malade le changea en certitude ; il lui fit sentir le danger de cette manœuvre...

Dans la mythologie destructrice de Tissot, la dénonciation de la masturbatrice ne reste pourtant qu'accessoire, sinon superfétatoire, et, dans une certaine mesure, son discours inquisitorial épargnait la femme. Un champ spécifique de répression restait donc ouvert.

Cette lacune est comblée une dizaine d'années plus tard lorsque le Dr de Bienville publie sa *Nymphomanie ou Traité de la fureur utérine* (1771) [25]. Travaillant dans le sillage du grand Tissot, Bienville apporte à son tour une contribution appréciable au processus de laïcisation et de médicalisation des grands thèmes religieux. Il en résulte un nouveau système de coercition visant à neutraliser les « nymphomanes » dont l'instabilité caractérielle semble irréductible à l'ordre bourgeois. Ainsi, sous la férule de ce médecin, c'est l'asociale qui se substitue à la « paillarde » des XVIe et XVIIe siècles. Glissement redoutable ! Les nymphomanes ne commettent plus un péché susceptible de mettre leur âme en péril, mais facteurs d'anarchie par excellence, c'est la société tout entière qu'elles perturbent :

> Elles [les nymphomanes] se déshonorent sans cesse par des pollutions dont elles sont elles-mêmes les infortunées ouvrières... Quand l'impudence commence à se mettre de la partie, elles ne craignent plus de se procurer cet infâme et détestable plaisir par le secours d'une main étrangère... Elles vous poursuivent par des propos qu'elles inventent pour flétrir votre réputation ; vous persécutent avec autant d'éclat que d'opiniâtreté ; et après avoir fait mille tentatives inutiles contre votre repos et votre gloire, elles se livrent avec violence, et même souvent sans précaution, à tout ce que la vengeance peut inspirer de plus cruel et de plus tragique.

Jadis dévolue à l'Église, la prévention du fléau relève désormais de l'autorité médicale. Mais à ce niveau, l'héritage du passé est encore sensible et les points de convergence entre les méthodes pratiquées par les deux autorités restent nombreux. Pour le médecin, la tâche n'en est pas moins délicate. Elle évoque, note Jean-Marie Goulemot, « celle du prêtre que les manuels de confesseurs ne cessent d'exalter, et qui doit, par ses questions, provoquer l'aveu sans apprendre au pénitent une forme du péché de la chair à laquelle il n'a pas encore succombé ». L'analogie et la continuité ont pourtant leurs limites, car « ce n'est plus la peur d'offenser Dieu qui doit détourner du vice, mais bien celle de la maladie, de la déchéance physique et de la mort[26] ». Si la condamnation demeure, ce sont donc les fondements de l'interdit qui ont changé. Cette rupture conduit Bienville à « dénoncer très vivement la conduite des religieux qui traitent par le mépris, les sermons et la violence, les malades atteintes de nymphomanie qui leur sont confiées[27] ».

C'est dans un pareil contexte que la nymphomane inspire à Bienville un sentiment de compassion qui s'exprime à travers un discours où les accents de révolte et les soupirs de désespoir se succèdent tour à tour. Il en résulte une certaine confusion entre la volonté de punir et la volonté de guérir, et la naissance d'une nouvelle thérapie.

Thérapie féroce, au demeurant, et rarement couronnée de succès, de l'aveu même de Bienville. Encore le sort des nymphomanes « guéries » n'est-il guère enviable. C'est ainsi qu'Éléonore, l'une des sombres héroïnes de *la Nymphomanie,* fait figure de suppliciée plutôt que de patiente :

> Il faut observer qu'elle était toujours emmaillotée la nuit, de façon à ne pouvoir porter la main sur les parties ; que de jour, les femmes l'observaient tant au lit que dans le bain, de façon à ne lui donner le loisir de se livrer à aucune obscénité ; que quand elle essayait de le faire, on ne la punissait autrement qu'en lui inondant le visage, et tout au plus en faisant semblant de la mettre dans son maillot ; qu'on lui faisait, avant d'entrer dans le bain, des injections (formule 12) dans le vagin ; enfin, que jour et nuit elle avait sur les reins une plaque de plomb assez mince, et sur toutes les parties une flanelle fort épaisse continuellement imbibée d'eau émolliente.

Si l'on ajoute que la « malade » était soumise à une saignée toutes les trois heures et à un régime composé de bouillie claire et de bouillon, on comprend que la « guérison » soit intervenue et que la pauvre fille, épuisée, ait désormais perdu et le goût et la force d'aimer.

Sur le versant caricatural des hantises suscitées par l'amour et ses dangers, il existe d'autre part un ouvrage étrange, de la même époque et intitulé *Des causes et des remèdes de l'amour considéré comme maladie par M. F., médecin anglais.*

Pour ce curieux médecin anonyme, la psychothérapie proposée était « applicable à toutes sortes de personnes, dans tous les temps et dans toutes les circonstances possibles ». D'une efficacité absolue, elle reposait sur une gymnastique intellectuelle accessible à n'importe qui, en l'absence de tout médecin. En bon scientifique, M. F. recherche d'abord la cause du mal. La vue de l'objet aimé, affirme-t-il, ébranle les fibres du cerveau tandis que l'imagination en prolonge les vibrations. Conclusion : «le mal gît dans notre mémoire. Chaque souvenir est une étincelle qui embrase notre âme». Du poison naîtra le contrepoison. C'est précisément dans l'imagination qu'il faut trouver le moyen de se guérir. L'amour agite les fibres du cerveau dans un certain sens. Il suffit donc de «se représenter un autre objet qui excite une passion différente». Le choix de cet objet est laissé à la discrétion du «malade». En vérité, chacun n'a que l'embarras du choix : supplice du feu, spectacle d'une saignée, d'une ville qui flambe avec ses habitants, apparition d'un fantôme, carnages épouvantables et divers...

La seconde démarche consiste à «s'habituer à lier l'idée de l'objet effrayant avec celle de l'objet aimé». De cette association naîtra un incoercible dégoût pour l'amour. A titre d'exemple, ce plaisant auteur raconte comment Armand Bouthilier de Rance fut guéri de sa passion pour la duchesse de Montbazon au point d'entrer dans les ordres :

> Cette dame étant morte, Armand ne put se refuser la triste consolation de la voir encore une fois avant qu'on la mît dans son cercueil. Il monta dans l'appartement où son corps étoit exposé. La solitude qui y régnoit lui fit horreur ; mais ce qui le frappa le plus, fut de trouver la tête séparée de son corps. Il en demanda la raison, et on lui dit que le cercueil étant trop court, on la lui avoit coupée, pour s'éviter la peine d'en faire un plus grand.

Et pourtant, M. F. n'a pas atteint le comble de l'horreur. A la recherche de l'épouvante dans ses profondeurs inaccessibles, ce médecin morose, et même un peu masochiste, nous livre l'histoire de prédilection dont il s'est imprégné pour s'immuniser contre les affres de la passion.

En 1703, un soldat prussien, tiraillé de remords, voulut mettre fin à ses jours pour se punir des crimes qu'il avait commis. Il demanda à l'un de ses camarades de lui débiter à la hache, et en tranches, les bras, les pieds, les jambes, les cuisses. Ce dernier obtempéra et lui rendit ce service amical, non sans avoir triomphé des réticences les plus vives. Survint le commandant, durant la besogne. L'exécuteur fut pendu, et ce qui restait du malheureux supplicié survécut.

Mais là-dessus, M. F. fut à tout jamais guéri de l'amour.

En fait, des macérations physiques, fort prisées en milieu ecclésiastique, aux plaques de plomb de Bienville ou à ses « injections émollientes », lointains ancêtres de notre « camisole chimique », du dégoût jubilatoire inspiré aux stratèges du refoulement par l'heureuse décomposition cadavérique de la courtisane aux triturations intellectuelles de M. F., le fossé n'est pas si profond. Cimentés par les mêmes hantises, ces puissants mécanismes de rejet illustrent, chacun à leur façon, l'étonnante solidarité des hommes d'Église archaïques et des médecins des Lumières dans les profondeurs de leur inconscient. Ils sont encore le reflet de l'évidente permanence des structures mentales depuis les premiers siècles du christianisme jusqu'au siècle des Lumières. Mais rien n'est simple dans l'histoire des mentalités, creuset privilégié où s'épanouissent les états d'âme les plus divers. Le phénomène de rejet est loin d'être exclusif et le XVIIIe siècle a connu, lui aussi, ses féministes authentiques et profondément convaincus.

*Les impulsions féministes
du siècle des Lumières.*

Le féminisme épuré n'est certainement pas représentatif d'une tendance dominante au XVIIIe siècle. Mais les féministes sincères n'en existent pas moins, parmi les philosophes, notamment. A première vue, il est vrai, leur doctrine peut parfois sembler entachée d'ambiguïté à la base.

C'est ainsi que dans son essai *Sur les femmes* [28], Diderot reprend un certain nombre de préjugés dignes des misogynes les plus forcenés. Créature chaotique, passionnée, irrationnelle, « la femme porte en dedans d'elle-même un organe susceptible de spasmes terribles, disposant d'elle et suscitant dans son imagination des fantômes de toute espèce... C'est de l'organe propre à son sexe que naissent toutes ses idées extraordinaires ». D'où cet « hystérisme » qui a un « je ne sais quoi d'infernal ou de céleste ». Sans aller aussi loin que Rousseau, Diderot y voit un germe de déliquescence et de perdition. « Si vous aimez, dit-il, elles vous perdront, elles se perdront elles-mêmes. » La femme est porteuse d'une foule de sentiments désordonnés et souvent destructeurs. « J'ai vu l'amour, la jalousie, la superstition, la colère portée chez les femmes à un point que l'homme n'éprouve jamais. » Elles sont à la croisée des impulsions les plus ravageuses : « dissimulation », « vengeance cruelle », « férocité épidémique »...

Mais derrière cette façade sans concession, une lecture décodée de l'essai *Sur les femmes* nous permet de découvrir les sentiments réels de Diderot. Car à travers « leur haine profonde et secrète contre le despotisme de l'homme », à travers leurs défauts apparents, les femmes ne font que réagir contre l'injustice dont elles sont les victimes. « Réduites au silence dans l'âge adulte, sujettes à un malaise qui les dispose à devenir épouses et mères », elles sont forcément vouées à une existence austère. Soustraites à la tyrannie de leurs parents, les voilà bientôt sous le joug du mari qu'on leur aura choisi et livrées aux affres de la grossesse, de l'enfantement et de la maternité. Et cette souffrance inspire à Diderot un bel élan de générosité : « Femmes, que je vous plains ! Il n'y aurait qu'un dédommagement à vos maux ; et si j'avais été législateur, peut-être l'eussiez-vous obtenu. Affranchies de toute servitude, vous auriez été sacrées en quelque endroit que vous eussiez paru. »

La pensée de Voltaire présente à l'origine une même ambiguïté. Dans le *Dictionnaire philosophique,* il souligne lui aussi la faiblesse innée de la femme [29], les tares qui pèsent sur elle, ses évacuations périodiques, « les malaises qui naissent de la suppression, les temps de grossesse, la nécessité d'allaiter les enfants et de veiller continuellement sur eux ». Et comme « le physique gouverne toujours le moral », l'esprit de la femme serait même inférieur à celui de l'homme. Mais, sur la base d'un pareil constat, il serait trop facile de ranger Voltaire au nombre des misogynes intégristes. Tout, dans l'œuvre et dans la vie du patriarche de Ferney, est en contradiction flagrante avec une telle présomption. Loin de tout préjugé, Voltaire s'élève vigoureusement contre le principe de la loi salique qui écarte les femmes du trône, contre l'omnipotence du pouvoir politique des hommes, et le culte qu'il voue à Mme du Châtelet montre assez qu'il confond l'homme et la femme dans une même identité intellectuelle [30].

Surtout, protecteur du faible et de l'opprimé, Voltaire s'érige en partisan résolu des femmes. Redresseur de torts, il s'élève contre l'injustice qui cloître à vie la femme adultère dans un monastère tandis que l'homme peut, en toute impunité, commettre le même crime. « Les lois qui régissent le mariage, écrit-il à cet égard, semblent avoir été faites pour les Sganarelles ! Et c'est pourquoi elles sont ridicules et odieuses. » Aucune loi ne protège d'ailleurs la jeune fille contre le séducteur, mais, poussée à l'infanticide par la misère, elle déchaîne sur elle les foudres de la justice.

Quant à Montesquieu, il n'hésite pas, en dépit de la peur que lui inspirent les femmes, à se prononcer franchement en faveur de leur émancipation. A son sens, « l'empire que nous avons sur elles est une véritable tyrannie ; elles ne nous l'ont laissé prendre que parce qu'elles ont plus de douceur que nous, plus d'humanité [31] ».

Mais c'est dans l'œuvre de Condorcet qu'il faut chercher les accents les plus profondément féministes du XVIIIe siècle. C'est en 1789, dans la période d'espérance et d'effervescence politique qui précède la marée révolutionnaire, qu'il rédige une brochure *Sur l'admission des femmes au droit de cité* [32]. Tout semble alors possible, et ne craignant pas de mettre sur le même plan la violence faite aux Noirs des colonies et l'injustice qui prive « tranquilement la moitié du genre humain » du droit « de concourir à la formation des lois », il développe une argumentation qui ne manque ni de logique ni de grandeur :

> Pourquoi des êtres exposés à des indispositions passagères, ne pourraient-ils pas exercer des droits dont on n'a jamais imaginé de priver les gens qui ont la goutte tous les hivers, et qui s'enrhument aisément ?...
> On dit qu'aucune femme n'a fait de découverte importante dans les sciences, n'a donné de preuve de génie dans les arts, dans les lettres. Mais on s'en doute, on ne prétendra point n'accorder le seul droit de cité qu'aux seuls hommes de génie[33].

Réfutant point par point toutes les raisons qui ont traditionnellement écarté les femmes du droit de cité, Condorcet dénonce enfin cette sorte de cercle vicieux qui interdit l'approche rationnelle du problème. Ainsi, « il est injuste d'alléguer, pour refuser d'accorder aux femmes la jouissance de leurs droits naturels, des motifs qui n'ont une sorte de réalité que parce qu'elles ne jouissent pas de ces droits[34] ».

En marge de l'œuvre de Condorcet, il nous faut évoquer ici la personnalité originale de Boissel. Dans un ouvrage qu'il publie lui aussi en 1789[35], ce féministe utopiste reprend les idées de Rousseau lorsqu'il dénonce l'injustice et les abus qui dérivent du droit de propriété. Mais, à la différence de Rousseau, Boissel intègre les femmes dans le schéma d'un monde meilleur. « Les hommes, écrit-il, après s'être partagé et approprié les terres, ont imaginé de s'approprier aussi des femmes[36]. » Aussi, pour réparer le tort ainsi causé, Boissel envisage d'embrigader les femmes dans une sorte de système communiste. Le mariage aboli, elles deviendraient la propriété de tous. Il en résulterait une étrange révolution dans l'organisation de nos mœurs :

Demande : Où élèveroit-on les mères et les filles ?
Réponse : Dans des temples magnifiques.
Demande : Pourquoi des temples ?
Réponse : Pour réparer les torts que les hommes leur ont fait jusqu'ici, et pour faire revivre tous les titres que la nature et son auteur ont établi en faveur de la femme, pour le bonheur du genre humain.

La voix de Condorcet ne fut pas entendue. Celle de Boissel ne le fut pas davantage, et, en dépit des efforts conjugués de plusieurs féministes authentiques, la Révolution n'apporta rien de nouveau à la condition féminine. Couronnée par l'élaboration du Code civil, elle se soldait au contraire par le triomphe des féministes paternalistes auxquels elle offrait enfin un instrument patenté de domination « phallocratique », fruit de leurs réflexions et de leurs efforts pour enfermer la femme dans le carcan cotonneux de son foyer.

9

Domination bourgeoise et féminisme paternaliste

XVIIIᵉ-XIXᵉ siècle

C'est en dehors de l'univers aristocratique et religieux de Mlle de Lambert et à l'écart de toute influence ecclésiastique que se forme ce nouveau « féminisme » d'essence bourgeoise, reflet authentique de l'idéologie dominante du XIXᵉ siècle. Tout ce qui concerne la femme relève désormais presque exclusivement de la compétence des médecins. Cette compétence s'inscrit elle-même dans le contexte beaucoup plus vaste de cet impérialisme médical dont les contours se précisent dès la seconde moitié du XVIIIᵉ siècle dans la mesure où le médecin réussit à incarner, selon la formule de Jean-Pierre Peter, « une figure crédible de père savant, dévoué et infaillible, imposant progressivement les normes médicales de la vie saine, et assumant enfin une fonction spéciale de surveillance sociale et morale [1] ».

Le grand tournant intervient en 1755 lorsque le Dr Pierre Roussel publie son *Système physique et moral ou Tableau philosophique de la constitution de l'état organique...* de la femme [2]. Ce livre, plusieurs fois réédité au XIXᵉ siècle, peut être considéré comme la Bible des féministes paternalistes. C'est dire que le mouvement qui s'amorce dans la seconde moitié du XVIIIᵉ siècle est un mouvement de longue durée.

Mais, en dépit des apparences, la rupture qu'il consacre

est une rupture de style, non de fond. Car, derrière la nouveauté d'un langage dépouillé d'invectives, la permanence des structures est remarquable. Loin d'avoir été exorcisés par les médecins, les vieux mythes des misogynes viscéraux ont été au contraire récupérés par la nouvelle idéologie bourgeoise et, sous une forme beaucoup plus feutrée, la femme se retrouve investie des mêmes préjugés.

L'esprit du féminisme paternaliste.

Sans doute peut-elle se flatter de se trouver, dans l'immédiat, au cœur d'un discours qui la privilégie en tant que créature pleine de charme et de délicatesse. La voilà encensée, portée aux nues :

> L'attendrissement, la compassion, la bienveillance, l'amour, écrit Pierre Roussel, sont les sentiments qu'elle éprouve et qu'elle excite le plus souvent, et chacun sent qu'une bouche faite pour sourire, que des bras plus jolis que redoutables, et un son de voix qui ne porte à l'âme que des impressions touchantes, ne sont pas faits pour s'allier avec les passions haineuses[3].

Au début du XIXe siècle, un héritier spirituel de Pierre Roussel, le Dr Virey, invite tout médecin à étudier la femme de plus près : « Qu'il voie, écrit-il d'une plume inspirée, comment la nature a disposé cette timide et coquette Galatée... Qu'il observe les profondes racines de cet amour-propre entretenu, exalté par tant d'hommes séducteurs. Qu'il imagine cette jeune et vive élégante des cercles les plus brillants[4]... » En 1845, le Dr de Menville décrit encore la femme comme « une fleur de la nature » qui « rassemble tout ce qu'il y a de plus tendre, de plus séducteur et de plus ravissant sur terre[5] ». Plus loin, il déclare que les femmes ont été « semées dans le monde pour en faire les délices et les honneurs » et que « naturellement portées à observer avec soin pour conserver leur empire ou pour l'étendre, elles deviennent promptement nos maîtres en fait de tact et de prévisions délicates[6] ».

L'attendrissement pathétique, l'émerveillement mystique de Michelet en extase devant une planche anatomique représentant les organes sexuels de la femme rejoint, d'un certain point de vue, la sensibilité des féministes paternalistes.

> J'en fus touché et attendri. La forme de la matrice surtout, si délicate (et visiblement d'une vie élevée) entre tant de parties rudes en comparaison... la matrice, dis-je, me pénétra d'un attendrissement religieux. Sa forme est déjà d'un être vivant et ses appendices (trompes, ovaires, pavillon) sont d'une forme délicate, tendre, charmante et suppliante, on le dirait ; faible et forte à la fois, comme une vigne qui jette ses petites mains, ses doigts délicats autour de son appui. O doux, sacré, divin mystère !

Et Michelet d'en conclure : « L'homme est un cerveau, la femme une matrice[7]. »

Nouvelle dialectique dans les profondeurs de laquelle s'opère une vaste opération de pacification de la femme.

Les misogynes des XVIe et XVIIe siècles avaient le mérite de la franchise. Les médecins du XIXe siècle ne manient leur plume enchanteresse que pour mieux dominer l'autre moitié de l'univers. L'âpre vérité doit s'imposer en douceur : l'égalité absolue n'est pas possible, pas une association n'en offre l'exemple. « Dans la société conjugale, écrit le Dr Belouino, il faut un chef, parce qu'il faut une tête, une volonté[8]. » Profession de foi hautement formulée, quelques années plus tôt, par Desmahis dans la *Grande Encyclopédie.*

> Mais quoique le mari et la femme ayent au fond les mêmes intérêts dans leur société, il est pourtant essentiel que l'autorité du gouvernement appartienne à l'un ou à l'autre ; or le droit

positif des nations policées, les lois et les coutumes de l'Europe donnent cette autorité unanimement et définitivement au mâle, comme à celui qui étant doué d'une plus grande force d'esprit et de corps, contribue davantage au bien commun, en matière de choses humaines et sacrées ; en sorte que la femme doit nécessairement être subordonnée à son mari et obéir à ses ordres dans toutes les affaires domestiques [9].

Mais la soumission de la femme ne saurait être un esclavage et la domination de l'homme ne doit pas tourner à la tyrannie, écrit le Dr Belouino avec cette bonne conscience qui est l'un des maillons essentiels de la domination bourgeoise. L'exercice du pouvoir doit s'affirmer au terme d'un contrat synallagmatique bien clair. L'homme apportera sa protection, la femme sa douceur, ses charmes et ses services. Tel est l'honorable credo derrière lequel se retranchent l'égoïsme le plus féroce et une grande entreprise de type colonial.

Cet égoïsme, plusieurs textes le formulent explicitement. Sans doute la femme n'a-t-elle pas été tirée de la côte de l'homme pour lui servir d'aide et de compagne, mais le Dr Roussel déclare insidieusement que «les hommes s'occupent des maux possibles, ou qui sont répandus à la surface du globe», tandis que les femmes «soulagent les malheurs réels qui les environnent», et lorsque l'homme redescend des «régions désertes qu'habite le génie», il se retrouve dans la «sphère ordinaire» de ce bas monde avec un plaisir d'autant plus grand «que la femme embellit tout par des qualités qui sont toujours de mise et qui font toujours le charme de tous les moments [10]». Dans son *Essai...* sur les femmes, Thomas écrit, quelques années plus tard, «qu'il faudrait peut-être désirer un homme pour ami dans les grandes occasions ; mais pour le bonheur de tous les jours, il faut une femme [11]». C'est avec une sereine assurance que le Dr Virey exhorte les femmes à se soumettre à cette douce servitude que la nature attache à leur condition. «Femmes, s'écrie-t-il dans une belle envolée lyrique, vous qui nous secourez au berceau comme au bord du cercueil ! Soyez toujours ce que la nature vous a formée, le charme qui adoucit nos misères et qui embellit le cours de nos ans. N'usurpez jamais sur nous l'empire pour l'obtenir toujours ; votre puissance est toute dans votre faiblesse [12]. » Et le Dr de Menville d'affirmer, en plein cœur du xixᵉ siècle, que « l'homme se plaît dans une courageuse indépendance tandis que la femme préfère un doux servage [13] ». « C'est une chose très difficile à décider, poursuit-il, que le système d'éducation le plus propre à former ces êtres précieux qui, pour notre bonheur, doivent réunir à la fois tous les agréments et toutes les vertus, toutes les qualités essentielles dans leurs familles, et tous les moyens de plaire dans les cercles brillants [14]. »

Ainsi, par-dessus deux millénaires, l'esprit de la Genèse est toujours bien vivant à travers cette représentation moderne et colorée d'une femme conçue pour le service des hommes. Mais pour assurer la pérennité du mythe, le rationalisme des xviiiᵉ et xixᵉ siècles ne se contente plus de la parole de Dieu ou des sentences patrologiques. C'est ici que la science a son mot à dire.

Les assises scientifiques de l'idéologie nouvelle.

Pour les savants du xixᵉ siècle, comme pour ceux de l'Antiquité, du Moyen Age et de la Renaissance, l'humidité et le froid restent encore les attributs fondamentaux de la physiologie féminine. Lorsque Virey compare les caractères physiques de l'homme à ceux de la femme, il ne craint pas d'affirmer, à l'aube de la période positiviste, que « l'un est actif, l'autre passif ; l'un est chaud et sec, ou ardent par sa constitution, l'autre humide et plus froid ». Et c'est pour cette raison que « le premier commande et triomphe », tandis que le second « succombe et supplie [15] ». Mais à côté de ces antiques conceptions, de nouvelles théories viennent étayer la thèse de l'infériorité physique du « sexe faible ».

Dès la fin du XVIIᵉ siècle, Malebranche jette les bases d'un système fondé sur la très grande délicatesse des fibres du cerveau de la femme. C'est en cela que la femme s'apparente à l'enfant. Mais, tandis que chez le mâle ces fibres durcissent avec l'âge, elles restent « toujours très molles et très délicates » chez les femelles. Ainsi s'explique chez la femme « cette grande intelligence pour tout ce qui frappe les sens ». Elle règne en matière de mode, de langue, de belles manières. Par contre, elle est incapable « de pénétrer des vérités un peu cachées... Tout ce qui est abstrait lui est incompréhensible » et « les moindres choses produisant de grands mouvements dans les fibres délicates de son cerveau, elle est capable des passions les plus vives et des mouvements les plus violents [16] ». En 1753, le Dr Le Camus remarque à son tour que « les fibres des corps féminins sont beaucoup plus faibles et d'un tissu plus lâche que celles de l'homme ». C'est pourquoi les femmes « sont plus vives, plus badines, plus volages que les hommes ; leur imagination est plus riante et plus gracieuse, mais leur jugement moins solide [17] ». Vers la même époque, le Dr Roussel écrit que « des fibres souples et faciles à émouvoir doivent nécessiter un genre de sensibilité vive, mais passagère ». D'où la gaieté du tempérament des femmes, d'où leur humeur capricieuse, aussi. « Les sentiments se succèdent chez elles avec une rapidité qui étonne, de sorte qu'il n'est pas rare de les voir rire et pleurer plusieurs fois dans la même heure [18]. » Quant au Dr Virey, il tire de ces observations un certain nombre de conclusions qui frisent la diffamation :

> Tout exerce un puissant empire sur cette organisation frêle et déliée, sur des fibres minces et vivement irritables. La moindre impression qui peut à peine ébranler les muscles épais et robustes d'un athlète, d'un guerrier endurci aux fatigues et aux combats, va faire tomber en convulsion une femmelette...

Aussi compte-t-on un plus grand nombre de femmes folles que d'hommes insensés dans les maisons d'aliénés [19].

C'est sur cette toile de fond que se greffent quelques digressions plus ou moins plaisantes. Le Dr Roussel fait à la rigueur figure de galant homme lorsqu'il rappelle que « les humeurs des femmes ont un plus grand degré de fluidité que celles des hommes », ce qui, donnant au sang « un cours facile et uniforme », confère aux dames ces teintes « d'albâtre et de rose [20] ». Mais des insinuations malveillantes du Dr Virey se dégagent parfois des relents d'infamie. Au terme d'audacieuses spéculations sur les matières grises respectives des hommes et des femmes, ce scrupuleux médecin déclare par exemple que « la capacité du cerveau de l'homme est considérable, et contient trois à quatre onces de cervelle de plus, suivant nos expériences, que le crâne de la femme ». Ce qui lui permet d'en conclure, sans complexe, que « l'homme est destiné par nature à l'usage de la pensée, à se servir de la raison et du génie pour soutenir la famille dont il doit être le chef [21] ».

Au demeurant, les femmes ne sont-elles pas dépourvues de ce sperme fabuleux qui, selon Virey, est source et principe d'ardeur virile et de génie ? C'est lui qui « dessèche et échauffe la complexion masculine, inspire le courage, les hautes pensées, rend le caractère franc, simple, magnanime ». C'est encore le sperme qui donne au mâle cette odeur forte, à tel point que la jeune vierge, dont la transpiration est inodore, acquiert une odeur sensible et un semblant de virilité après avoir subi les approches de l'homme. Et voilà pourquoi les personnes douées d'un odorat subtil savent distinguer la vierge de la femme [22] !

Mais les féministes paternalistes n'en demandaient pas tant. En dehors de toute considération morphologique ou olfactive vicieuse, le discours médical leur offrait désormais une multitude de raisons susceptibles de justifier leur domination protectrice sur la femme.

La femme est un enfant.

La similitude organique de la femme et de l'enfant au niveau de la souplesse de leurs fibres avait été déjà signalée par le père Malebranche. D'autres considérations les rapprochent l'un de l'autre. Tous deux sont d'une même complexion sanguine [23], et « l'humidité modérée » propre à ces deux êtres « prête à leurs organes, sans trop les énerver, toute la souplesse dont ils sont susceptibles [24] ». Tels sont les principes scientifiques qui vont permettre de confondre femme et enfant dans une même identité morale.

Car la femme reste et restera toujours « à demi dans l'enfance ». Sans doute le développement de ses organes est-il plus rapide et plus précoce chez elle, mais c'est en raison même de l'élasticité de ses fibres. Moins élaborée que l'homme, il lui faut d'ailleurs moins de temps pour parvenir à son degré de perfection maximale [25]. Allons donc ! Entre l'« erreur de la nature » définie par Aristote et la « femme enfant » de Virey, le fossé n'est pas si profond.

Et bien des auteurs observent une convergence d'attitude chez la femme et chez l'enfant. Selon Roussel, « si les femmes et les enfants pleurent à la moindre occasion, c'est parce que tout ne les affecte que légèrement [26] ». De Menville ne voit dans la femme qu'un « enfant gâté [27] », et l'auteur anonyme d'une *Lettre à Fréron* prétend que « l'esprit des femmes comme celui des enfants ne fait que voltiger sur des riens et sur des frivolités et reste lui-même dans une sorte d'enfance perpétuelle [28] ». « Comme l'enfant, précise Virey, la femme cède facilement aux impulsions ; elle montre une sensibilité vive et incapable d'une longue persévérance dans les mêmes sensations. » Englobés dans une même sensibilité, « l'enfant et la femme s'aiment réciproquement davantage, par consonance de tempérament, qu'ils n'aiment l'homme auquel ils ne se rallient qu'en qualité d'êtres faibles. Ils ont besoin d'appui, de protection ;

ils la réclament par la douceur, les grâces, le charme de l'innocence et de la faiblesse[29] ».

Il faut bien s'y résoudre, comme l'enfant, la femme est d'une incurable débilité. Virey s'en lamente : « Combien ne faut-il pas au médecin de précautions et de prudence pour gouverner la santé d'une organisation aussi frêle et aussi mouvante que celle de la femme dans tous les états de sa vie[30]. » Elle capitalise une somme de maux qui la rendent infiniment moins fiable que l'homme. A la mollesse de ses fibres s'ajoute l'inconvénient de ses règles, les affres de la grossesse et de l'enfantement, l'esclavage qui résulte de l'éducation de ses enfants. A ce titre, la femme est bien digne de respect, de condescendance et de compassion.

Mais la nature ne l'a pas totalement dépourvue d'atouts. Elle a des charmes et elle en use comme d'une monnaie d'échange au terme d'un contrat léonin. L'homme « vend sa protection au prix de la volupté, écrit Virey, et le plus faible emprunte la puissance du plus fort en s'y abandonnant[31] ». Le règne animal et le règne végétal offrent l'exemple d'une telle protection. « Chez les végétaux, l'organe femelle ou le pistil est placé au centre de la fleur ; les parties mâles ou étamines, au contraire, sont placées autour pour garantir ce qu'il y a de plus délicat, de plus tendre ; ce qui renferme l'espérance de la postérité[32]. »

A la limite, la femme peut être considérée comme un malade et traitée comme tel. Le Dr Roussel n'hésite pas à la mettre à la diète sous prétexte que « la nature, dans les personnes du sexe, ne doit demander qu'une quantité d'aliments proportionnée à la faiblesse de leurs organes et aux exercices peu fatiguants dont elles s'occupent[33] ». Végétaux, fruits et laitages sont les seuls aliments auxquels elle doit donner sa préférence, car, « aqueux et légers », ils n'exigent pas « grande dépense de forces digestives[34] ». Virey observe dans le même esprit que les dents de sagesse ne percent pas toujours chez la femme. Aussi, conclut-il, « elle mange moins, elle préfère des aliments doux et sucrés, tandis que l'homme exerçant beaucoup de force et déployant beaucoup de vigueur, est obligé de se nourrir plus substantiellement [35] ». Les stratèges chrétiens du refoulement eux-mêmes ne s'étaient jamais aventurés si loin. Ils avaient bien imaginé d'enfermer la femme dans un carcan vestimentaire, mais ils ne s'étaient jamais avisés de la soumettre au carcan alimentaire.

Encore ne sommes-nous pas au bout de nos surprises. Car la femme peut être aussi considérée comme un malade mental. En effet, « toute la constitution morale du sexe féminin dérive de la faiblesse innée de ses organes [36] ». Aussi la soumettra-t-on à un régime intellectuel sévère. C'est sur ce point précis que les principes laïcisés de Mme de Lambert s'expriment de la façon la plus concrète. L'excès de travail ne procure à la femme que du dégoût. Son impatience « ne lui permet pas de suivre pendant des années le même genre d'étude, et d'acquérir ainsi des connaissances profondes et vastes [37] ». Les mêmes raisons qui l'éloignent des travaux violents lui interdisent donc de fournir un effort intellectuel soutenu. Pour Roussel, « la science, que les hommes achètent presque toujours aux dépens de leur santé, ne saurait dédommager les femmes de la détérioration de leur tempérament et de leurs charmes ». Et c'est pourquoi elles doivent abandonner aux hommes cette « vaine fumée qu'ils cherchent dans cette acquisition dangereuse [38] ». Aussi le philosophe Boudier de Villemert proclame-t-il tout haut que les femmes doivent fuir les sciences abstraites et les recherches épineuses. « S'il s'est trouvé dans ce sexe des Dacier, des Du Châtelet, ce sont des exemples rares, plus admirables qu'imitables [39]. » De telles femmes, lit-on dans l'*Année littéraire* de 1766, « sont des espèces de phénomènes rares ». En deux mots, « ce sont des femmes qui se font hommes [40] ». C'est tout dire ! Les femmes devront par ailleurs éviter la lecture de ces « misérables romans dont tout le mérite est de frapper la dépravation du lecteur ». Par contre, « les Villedieu, les Deshoulières, les Sévigné, les La Suze », seront ses auteurs de prédilection. « L'illustre Fontenelle a fait quelques pièces avec Mlle Bernard qui feront de même les délices de la femme[41]... »

De telles restrictions s'insèrent évidemment dans un plan destiné à reléguer la femme dans un univers clos. Ainsi contingentée, la voilà rendue à ses occupations domestiques. Et c'est ainsi que la nature le veut. Car l'homme, à l'image de sa sexualité conquérante, s'affirme dans une splendide extraversion. La femme, au contraire, trouve sa raison d'être et se complaît dans une stricte réclusion. Selon la formule de Virey, « si tout, dans l'homme, doit aspirer à s'ouvrir, à s'étendre au-dehors... tout, dans la femme, doit concourir à renfermer, à rassembler en quelque manière ses affections, ses pensées, ses actions en un centre qui est celui de la reproduction et l'éducation de la famille. Ce ne sont pas nos institutions, c'est la nature qui parle[42] ».

Ainsi, sous la plume des féministes paternalistes, la nature se substitue à Dieu, mais le résultat est le même. Sans doute se défendent-ils de cloîtrer leurs femmes à l'orientale ou à l'espagnole. Boudier de Villemert serait même « très fâché de vivre chez un peuple qui, comme nos voisins du Midi, dérobe les femmes à la société », mais, prend-il bien soin de préciser, « je crois qu'il sied aux femmes de vivre un peu à l'ombre et de ne se répandre qu'autant qu'il faut pour mieux goûter le plaisir d'être rendues à leurs familles et à elles-mêmes[43] ». Il n'y a pas lieu, en l'occurrence, de parler de contrainte. La femme, par la mollesse de sa constitution, est merveilleusement assortie aux fonctions qui lui sont dévolues. Elle règne à l'intérieur du gynécée alors que l'homme libre déploie sa force et ses talents au-dehors. Plus solitaire que lui, elle a moins de ressources et ses plaisirs doivent naître de ses vertus. C'est en berçant son enfant qu'elle frise le bonheur suprême[44]. D'ailleurs, « le mot famille vient de *foemina* car la femme ne fait qu'un avec ses enfants[45] ». Ce sacrifice, elle l'accepte de bon cœur. Alors qu'on lui dénie toute aptitude au talent, au courage ou au génie, l'héroïsme maternel est la seule vertu « virile » qu'on lui concède. Ce sont les mères qui « s'élancent dans les flots pour en arracher leur enfant qui vient d'y tomber par imprudence. Ce sont elles qui se jettent à travers les flammes, pour enlever du milieu d'un incendie leur enfant qui dort dans son berceau [46] ».

Mais, bien que recluse dans son foyer, la femme jouit néanmoins d'un privilège que personne ne lui conteste : celui de plaire.

La vocation de plaire.

Paradoxe apparent ! De même que le cheval est la plus belle conquête de l'homme, sa femme en est le plus bel ornement. Sa vocation de plaire s'intègre à merveille dans le schéma phallocentrique élaboré par les féministes paternalistes, dont elle est l'emblème, et dans le vaste plan de la nature. « La nature, écrit Roussel, qui ne devait pas prévoir nos arrangements civils, s'était contentée de faire les femmes aimables et légères, parce que cela suffisait à ses vues [47]. » Privées de force, elles ressentent d'emblée le besoin de plaire. Ne sont-elles pas destinées en général à avoir plus d'agrément que de force [48] ? La *Grande Encyclopédie* est encore plus explicite. Pour Desmahis, « cette moitié du genre humain, comparée physiquement à l'autre, lui est supérieure en agrément, inférieure en force. La rondeur des formes, la finesse des traits, l'éclat du teint, voilà ses attributs distinctifs [49] ». C'est donc par une prévoyance admirable que la nature, par le biais de cet antique besoin de plaire, pousse une faible créature dans les bras de l'homme. Une fois de plus, celui-ci s'érige en sauveur : « N'est-ce point, écrit Virey, pour obtenir la protection du fort, que le faible a besoin de s'attacher à lui ?... par sa faiblesse, la femme éprouve la nécessité de plaire, d'aimer ; elle s'adresse au cœur, elle se plaint au cœur [50]. »

Mais, de même que la femme plaît par sa faiblesse physique, elle plaît tout autant par son ignorance. Le bon Roussel en est du moins convaincu : « L'esprit des femmes, inculte, pétillant, plaît d'autant plus qu'il n'est point étouffé par un savoir indigeste[51]. » Pour le Dr Belouino, les femmes sont «faites pour être le charme de la vie sociale», aussi ne doivent-elles jamais sortir de la sphère dorée de leurs attributions pour «empiéter sur celles des hommes[52]». Leur charme doit forcément s'épanouir dans un cadre exigu. Elles ne doivent ni rayonner, ni conquérir. Simples fioritures, qu'elles restent ce que « la nature le fit », c'est-à-dire de belles fleurs destinées, selon la formule de Thomas, à «briller doucement sur le parterre qui les vit naître[53] ». Elles auraient tort de transgresser les prérogatives qui leur sont imparties.

« Délices d'une société bien réglée », les femmes sont aussi vouées à une vie tranquille qui leur interdit de s'abandonner à ce tourbillon d'«hommes inappliqués[54]». D'où la hargne déployée par les féministes paternalistes contre cette cohorte de « petits maîtres sémillants » qui harcèlent les femmes et les détournent de leur vocation première. « Qu'est-ce en effet que la plupart des hommes qui, comme ils disent entre eux, font tourner la tête aux femmes ? Ces fiers conquérants du sexe, affirme Boudier de Villemert, sont presque toujours les plus petits esprits du nôtre, et des objets de risée parmi nous[55]. » Amertume significative. Lorsque l'on analyse ce qui fait le charme de la femme, on s'aperçoit qu'il ne repose pas sur une simple débilité mentale ou physique. Beaucoup moins anodin, il est en vérité beaucoup plus offensif.

En dépit de sa froideur apparente, le discours sur la femme laisse effectivement filtrer un sentiment de trouble diffus, et «la mobilité singulière qu'on observe dans ses organes[56]» semble à l'origine du phénomène.

D'un point de vue scientifique, «cette mobilité est une suite nécessaire de sa petitesse... les artères du bœuf ne battent que trente-cinq fois tandis que celles des brebis battent soixante-dix fois. Le pouls des femmes est plus petit et plus rapide que celui des hommes[57]».

Il en résulte une foule de défauts spécifiquement féminins : instabilité caractérielle, dépravation de l'imagination, absence de profondeur spirituelle... Mais tout le charme de la femme émane aussi de cette même mobilité. L'exquise volubilité de son discours est liée à la possession d'une voix « plus flexible et plus propre à toute sorte de mouvements ». Les féministes paternalistes ne sont pas insensibles au pouvoir de séduction que cette voix exerce en société, et la facilité avec laquelle elle se plie à toutes les inflexions de la modulation théâtrale permet d'expliquer qu'il y ait un plus grand nombre d'actrices que d'acteurs de talent. Grâce à leur mobilité, les femmes excellent aussi « dans tous les arts qui ne demandent que de l'adresse, parce que cette qualité dépend d'une succession rapide d'idées et de mouvements que l'organisation de leur sexe leur rend plus aisée[58] ». Pour la même raison, elles jouissent d'une vive sensibilité et d'une grande intuition. Elles ont « cette finesse de tact et de pénétration qui consiste à saisir, dans les objets qui la frappent rapidement, une infinité de nuances, de choses de détail, et de rapports déliés qui échappent à l'homme le plus éclairé[59] ». Thomas accorde à la femme cette vivacité qui permet à son esprit de s'élancer, rapide comme l'éclair, de se reposer et d'avoir mille saillies imprévues[60]. Desmahis observe que « cette même délicatesse d'organes qui rend l'imagination des femmes plus vive » leur permet aussi d'apercevoir plus vite, et aussi bien, en regardant moins longtemps[61]. Et l'austère Menville reconnaît qu' « on ne peut contester à la femme de l'esprit, de la grâce, de la délicatesse, un tour fin et animé du charme de son sexe dans tout ce qui sort de sa plume, de son pinceau. Elle nous surpasse à cet égard et il y a plus de femmes d'esprit que d'hommes d'esprit[62] ». Incontestablement, la femme fascine. « Elle est juge née de tout ce qui plaît ; elle polit la société, elle civilise les mœurs farouches, elle adoucit nos habitudes, elle donne du jeu et du tour au langage[63]. »

187

Sans doute retrouve-t-on dans le discours des féministes paternalistes quelques accents de féminisme apologétique. Mais la douceur d'un style animé d'invectives ne doit pas faire illusion : les vieux mythes sont toujours vivants, et bien vivants.

Les vieux mythes des nouveaux bourgeois.

Plus que jamais, la femme reste le lieu de convergence d'une foule de préjugés. Mais les féministes paternalistes ne l'en accablent point pour autant. Animés d'une sagesse souveraine, ils cherchent au contraire à sonder cet être essentiellement irrationnel, sans grand succès, semble-t-il. Car « la sensibilité,... en livrant les femmes aux impressions d'un grand nombre d'objets, doit nécessairement produire dans leur esprit une foule de déterminations qui sont à chaque instant détruites l'une par l'autre[64] ». Siège d'émotions antagonistes, la femme porte en elle le chaos. Elle est « antipathique à la logique, elle en a une horreur innée », et quiconque veut la raisonner est « un ignorant et un maladroit[65] ». Issue de la côte incurve de l'homme, on l'avait jadis créditée d'un esprit tordu et son cadavre avait la réputation de remonter le cours des fleuves. De tels arguments ne sont plus de mise et la femme n'est plus traitée d'animal ambigu. Mais une vérité fondamentale demeure : elle reste une créature contraire à l'homme et à la raison. « Ce qu'une femme veut, écrit Virey, Dieu le veut, de sorte qu'il faut toujours lui proposer le contraire de ce qu'on veut qu'elle fasse[66]. »

En vérité, les femmes ne savent même pas ce qu'elles veulent, ou plus exactement, elles veulent l'impossible. « Une femme se faisoit peindre, écrit Desmahis dans la *Grande Encyclopédie,* ce qui lui manquoit pour être belle étoit précisément ce qui la faisoit jolie. Elle vouloit qu'on ajoutât à sa beauté, sans rien ôter à ses grâces ; elle vouloit tout à la fois, et que le peintre fût infidèle, et que le portrait fût ressemblant [67]. »

La mobilité et la faiblesse s'ajoutent à cette ambiguïté radicale pour faire de la femme le réceptacle privilégié de tous les défauts. Parce que mobile, elle est loquace et capricieuse. Parce que faible, elle est dissimulatrice et vaniteuse.

C'est avec une paternelle condescendance que l'on évoque son babil et ses caprices. « On sait, écrit Roussel, que les femmes ont une plus grande facilité de parler que les hommes [68]. » Pour Virey, « cette légèreté, ce babil indiscret » les fait « voltiger ou plutôt papillonner à la superficie de tous les objets [69] ». Mais déroutés, quelques-uns refusent de « sonder ces abîmes impénétrables... cet inextricable labyrinthe de caprices... où se joue une sensibilité vive, exaltée, plus mobile que l'air [70] »... En définitive, la femme « n'est qu'un enfant gâté par l'adulation et rassasiée de fadeurs... il faut des vapeurs, des migraines, des nerfs agacés à cette jolie nymphe ». En voudra-t-on pour autant à sa « gracieuse impertinence [71]... » ?

La dissimulation et la vanité des femmes inspirent un même sentiment de mansuétude. L'homme est à l'abri de ces vices. Chez lui, « la force déploye tous ses mouvements en liberté », tandis que chez la femme, « la foiblesse et l'art de plaire doivent observer et mesurer les leurs ». Aussi les femmes « sont-elles portées à tous les genres de dissimulation [72] ». L'Encyclopédie va encore plus loin en affirmant que la dissimulation est chez elle un « devoir d'État [73] », et Virey reconnaît à son tour que « c'est la faiblesse qui rend les femmes fausses et dissimulées [74] ». Leur vanité n'a point d'autre origine. Chez l'homme, écrit Virey, domine une « superbe de soi-même ». Mais le péché d'orgueil est chez la femme « plus mignon, plus véniel et plus approprié à sa constitution ». Vouée au charme par une heureuse finalité, elle est forcément plus vaniteuse. Mais, contenue dans de justes limites, cette vanité ajoute à sa perfection.

189

En définitive, l'évocation complaisante de ces défauts anodins ne correspond qu'à une exaltation à peine déguisée de la virilité. Mais en dépit de sa superbe assurance, en dépit de ce paternalisme triomphant avec lequel il affecte de traiter ces petits défauts, l'homme n'en reste pas moins aux abois.

L'éternelle phobie.

Les femmes « seront toujours assez dangereuses, même avec ce que notre orgueil nous fait appeler en elles des défauts[75] ». De cette affirmation péremptoire, le Dr Roussel ne cherche même pas à faire l'analyse. Il en est ainsi de la peur suscitée par les femmes. Au siècle des rationalistes et dans l'esprit de ces mêmes rationalistes, elle obéit à des mécanismes instinctifs, incontrôlables... Imperturbables, les antiques phobies remontent à la surface, émergent des flots, rejaillissent avec une force irrésistible et des contours toujours aussi précis.

Comme au xvie siècle, c'est sur la cruauté des femmes que repose d'abord le mythe de la femme dangereuse. Naturellement douce, elle n'en est pas moins susceptible d'emportements impétueux, d'accès de colère d'autant plus virulents qu'ils dérivent d'une sensibilité physique et intellectuelle exacerbée[76]. Comme le constate Virey, la femme « passe de la douceur si naturelle à son sexe aux plus horribles exaltations du crime... sanguinaire et implacable dans sa vengeance, elle poussera la cruauté jusqu'à la rage[77] »...

Autre phobie que celle de la femme dominatrice et implacable. Lorsque Virey fait allusion à Catherine II de Russie, le complexe de l'Amazone reprend le dessus avec une telle virulence que les accents de paternalisme s'effacent derrière la violence du défoulement :

> Voyez comment cet être si débile ordonne avec emportement. Jamais, en Russie, dans les colonies, partout chez les anciens et les modernes où l'on emploie des esclaves, l'homme ne commanda de si rigoureux châtiments, ne se fit obéir avec tant d'empire, ne fut si hautain, si capricieux, si implacable, et en même temps si indolent, si mollement voluptueux que la femme [78].

Mais c'est parce qu'elle porte en elle le ferment de la déliquescence morale, sociale et politique, que la femme est partout, et avant tout, un être essentiellement dangereux. Comme aux siècles précédents, les penseurs des XVIIIe et XIXe siècles ont, eux aussi, repris à leur compte ce thème fondamental de la mythologie féminine.

Montesquieu, le premier, s'y rallie sans ambages. La femme, écrit-il, est en soi un agent de dégénérescence des mœurs. C'est pourquoi «les bons législateurs ont exigé des femmes une certaine gravité de mœurs... Ils ont banni jusqu'à ce commerce de galanterie qui produit l'oisiveté, qui fait que les femmes corrompent avant même d'être corrompues [79] »... «Dans un gouvernement où l'on demande surtout la tranquillité, il faut enfermer les femmes, leurs intrigues seraient fatales au mari [80]. »

Selon Thomas, l'histoire récente offre une illustration de cette triste vérité. L'émancipation de la femme est une hérésie. Que l'on songe à l'épisode de la Fronde où ses pulsions subversives se sont manifestées avant tant d'éclat : «Une femme au lit ou sur une chaise longue, étoit l'âme du conseil... Une révolution dans le cœur d'une femme annonçoit presque toujours une révolution dans les affaires [81]. » Louis XIV remit les femmes à leur juste place. Mais leur ascendant était si puissant que leur influence s'exerça à travers d'autres voies : «La galanterie devint à la mode, et l'aisance des mœurs une grâce. Tout imita la Cour, et d'un bout du royaume à l'autre, les vices circulèrent avec agrément [82]. »

Le mythe de la femme corruptrice s'exprime avec une

force encore plus grande dans l'œuvre de Virey. Pour ce médecin, les femmes sont trop nombreuses et, rendant les jouissances trop faciles, elles corrompent les mœurs. « Il s'ensuit que le despotisme s'établit dans la famille, et, par une pente naturelle, dans le gouvernement politique. » Mais les responsabilités masculines sont lourdes dans la genèse du cataclysme provoqué par la corruption des mœurs à la fin du XVIIIe siècle. C'est pour n'avoir pas su brider la femme « qu'on a perdu notre vieille Europe et amassé ces noires tempêtes qui tonnent depuis tant d'années sur la tête des peuples[83] ».

Dans une dissertation qu'il consacre à *l'Influence des femmes sur le goût dans la littérature et les beaux arts*[84], le Dr Virey se penche plus spécifiquement sur les effets délétères de cette influence dans le domaine des arts. Un principe fondamental a guidé l'auteur dans la rédaction de cette brochure maussade : « La dégradation dans les arts naît du mépris et de la corruption dans ce sexe[85]. » Il est vrai que, sous la férule protectrice d'un souverain tout-puissant, cette influence peut être bénéfique. Le rayonnement de Mme de Maintenon a suscité « les illusions ascétiques de Mme Guyon », il s'est glissé « dans le troupeau dévôt de Saint-Cyr », il a touché Fénelon. Mais qu'en était-il lorsque les femmes régnaient sur les Hôtels de Rambouillet, de Longueville, de Matignon, de Richelieu ? « L'empire des lettres, comme on l'a dit, tomboit en quenouille[86]. » Qu'en sera-t-il sous le règne de Louis XV ? Sous ce roi, « les hommes ont reçu l'impulsion des femmes, ont été gouvernés, façonnés par elles à l'exemple du prince ; c'est pourquoi les lettres et les arts offrent sous ce prince un goût moins simple et moins pur, et des sentiments moins profonds que dans le siècle antérieur[87] ». Par contre, le « sexe influa peu sur la partie de la littérature qui forme le plus beau titre de gloire du XVIIIe siècle. Tels sont les écrits politiques de Montesquieu, les magnifiques pages d'histoire naturelle de Buffon, les œuvres philosophiques de Voltaire[88] ».

A travers la guerre comme à travers la politique, la galanterie ou les arts, la femme est donc susceptible d'exercer une influence corrosive et destructrice sans précédent. Souveraine, elle fait régner le despotisme le plus intransigeant ; dans l'ombre des palais, elle médite les plus noirs complots et renverse un ordre séculaire ; artiste, elle introduit dans les beaux-arts et les belles lettres le germe de la décadence.

Il y a plus d'un point commun entre les phobies plus ou moins diffuses qui harcèlent les francs misogynes ou les misogynes mâtinés de féminisme paternaliste et les vieilles hantises racistes ou xénophobes où les forces de l'ombre, de la dégénérescence et de l'usurpation jouent un rôle prépondérant. Mais les solutions imaginées dans les deux cas diffèrent radicalement. Pour les xénophobes, l'expulsion fait figure de recours suprême. Mais les misogynes pouvaient difficilement se retrancher de l'autre moitié du genre humain sans déroger aux lois les plus élémentaires de la nature. Dans l'ordre des phantasmes, il est vrai que les misogynes viscéraux et les stratèges du refoulement ont positivement «expulsé» la femme. Solution bien platonique ! Après de vains tâtonnements, il appartenait aux féministes paternalistes d'intégrer la femme au terme d'une opération de pacification dûment couronnée de succès.

Épilogue
La femme pacifiée

Ainsi, derrière la réitération des vieux mythes accommodés au goût du jour, on aurait tort de ne voir que l'émanation d'une certaine forme de fébrilité stérile génétiquement solidaire du délire verbal de Jacques Olivier ou des pulsions brouillonnes des stratèges du refoulement.

Avec le Dr Roussel, la guerre du sexe est entrée dans sa phase décisive, finale, triomphale. Par ses références au rationalisme, à la science, à la philosophie, à l'amour et au devoir protecteur, son *Système physique et moral* s'investit d'une crédibilité totale. Frappées d'ostracisme, l'invective, les embardées passionnelles et les chimères scolastiques s'identifient dès cet instant à un passé irréductible, obscurantiste et médiéval. La bonne gestion bourgeoise n'en a que faire.

Sanctionné par l'évolution révolutionnaire, le féminisme paternaliste devient dès lors l'un des thèmes dominants de l'idéologie nouvelle. Au début du XIXe siècle, le législateur y trouve une source d'inspiration féconde. Le territoire de la femme est circonscrit, codifié et normalisé selon des principes rigoureux enfin consacrés par le Code civil.

Dans cet univers soucieux d'efficacité, la sexualité se retrouve elle aussi assumée dans un contexte psychologique entièrement rénové. Selon la remarque de Michel Foucault,

195

> La famille conjugale la confisque. Et l'absorbe tout entière dans le sérieux et la fonction de reproduire. Autour du sexe, on se tait. Le couple, légitime et procréateur, fait la loi... Dans l'espace social, comme au cœur de chaque maison, un seul lien de sexualité reconnu, mais utilitaire et fécond : la chambre des parents... S'il faut vraiment faire place aux sexualités illégitimes, qu'elles aillent faire leur tapage ailleurs... La maison close et la maison de santé seront ces lieux de tolérance [1]...

L'insertion de la femme dans l'ordre nouveau s'opère alors selon des modalités strictement conformes au schéma bourgeois. Décrétées hors la loi, régentes, éminences roses, égéries conquérantes et maîtresses royales subversives et parasites ne trouvent plus terre d'asile que dans l'espace romanesque des grandes figures littéraires du XIXᵉ siècle. Dans les faits, la duchesse de Berry, amazone nostalgique d'un autre siècle, est férocement raillée et Marie Amélie, plus modeste, se contente de filer la quenouille.

Image vivante du modèle victorien, la reine Victoria elle-même. Adulée, encensée, portée aux nues, elle incarne le prestige du Royaume-Uni à son apogée, tout comme l'épouse idéale de Roussel ou de Virey incarne le prestige de son mari. Mais au-delà de ce symbolisme flamboyant, la réalité du pouvoir est ailleurs.

« Misérable et glorieuse » ! Derrière une magnificence d'emprunt et la mythologie fleurie des féministes paternalistes, la femme pacifiée est en définitive bien digne de compassion. Levons le rideau :

Mariage
Pauvre créature condamnée par la loi et l'opinion à l'universelle dépossession, dont le mari, sous le régime d'une communauté factice, tout seul administre les avoirs, brade à satiété les immeubles, meubles et autres capitaux...
Maternité
...Elle n'y connaît qu'obligations, si ce n'est, peut-être, quelques initiatives pédagogiques...
Carrière
...Rien ne vient atténuer ou contourner son invalidation

sociale. Ici, pas de merci. Elle est interdite de carrière et de titres, spoliée de travail sauf à tomber dans l'abjection des prolétaires...

Désirs

...Écartée du pouvoir civique, juridique, familial, la femme conserve un corps, repaire de désirs, défi à l'organisation sociale...

De sorte qu'aucune précaution n'est inutile pour mettre la femme à l'abri des appétits qu'elle détermine. Elle est victime expiatoire d'une pratique qui ne réprime pas la sexualité mais qui s'aventure à la masquer[2].

Mais la pacification de la femme n'a sans doute pas résolu tous les problèmes, et d'emblée l'homme n'a peut-être pas mesuré toutes les conséquences d'une opération qui reposait en définitive sur la surestimation de sa perfection virile. Pris à son propre piège, le voilà condamné à l'affirmation constante de sa sexualité impériale. Jadis castratrice par sa supériorité occulte, la femme l'est désormais par sa soumission de fait, et la conquête du « sexe faible » a peut-être trouvé l'un de ses épilogues les moins glorieux sur le divan du psychanalyste.

En s'investissant stupidement de tous les attributs du pouvoir, le bourgeois du XIXᵉ siècle s'est investi en même temps de toutes les responsabilités. Péché mortel ! Empêtré dans le dogme de son infaillibilité, il ne s'en est toujours pas remis, l'homme fort ! Et alors même que l'édifice juridique qui, au XIXᵉ siècle, assurait sa domination s'effrite sous la pression d'un inéluctable mouvement de décolonisation, la servitude des responsabilités morales et matérielles n'en pèse pas moins sur ses épaules dans un imaginaire collectif infiniment plus résistant.

Une pareille évolution n'avait pourtant rien de fatal. Les rationalistes du XVIIIᵉ siècle opéraient en terrain vierge. Les misogynes viscéraux, les stratèges chrétiens du refoulement, les stratèges aristocratiques du renoncement et les féministes apologétiques ne véhiculaient aucune idéologie conquérante. Alors, 1789 fut un moment privilégié où les idées de Poullain de La Barre et de Condorcet auraient peut-être pu triompher du dogme mythique de la supériorité masculine.

Notes

1. *L'Excellence des femmes avec leur responce à l'autheur de l'Alphabet,* s.l., 1618.
2. *La Défense de la femme contre l'Alphabet de leur prétendue malice et imperfection,* Paris, 1617, Introduction.
3. *Le Champion des femmes...,* Paris, 1618, p. 12, 31, 40, 55, 61.
4. *Op. cit.,* Introduction.
5. *Op. cit.,* p. 12.
6. *Ibid.,* p. 17.
7. Paris, Fayard, 1978, p. 305 *sq.*
8. J. Sprenger et H. Institutor, *Malleus Maleficarum,* Venise, éd. de 1576, p. 210.
9. Cité par Jean Delumeau, *op. cit.,* p. 306.
10. Georges Duby, *Le Chevalier, la Femme et le Prêtre,* Paris, Hachette, 1981.
11. *De contemptu feminae,* cité par J. Delumeau, *op. cit.,* p. 320-321.
12. Le *Malleus Maleficarum* a été traduit en français par Armand Danet, *le Marteau des sorcières,* Paris, Plon, 1973.

Chapitre 1.

1. *De la bonté et mauvaiseté des femmes,* Paris, 1564, p. 46.
2. L.J. Larcher, *La Femme jugée par l'homme,* Paris, 1858, p. 3.
3. Gen., I, 26, et II, 22-23.
4. *De l'excellence et de la supériorité de la femme,* éd. de 1801, p. 13-14.

5. *Op. cit.*, p. 61.

6. J. Sprenger et H. Institutor, *op. cit.*, p. 203.

7. J. Olivier, *Alphabet, op. cit.*, p. 76.

8. *Les Singeries des femmes de ce temps descouvertes*, Anonyme, s.l., 1623.

9. Grégoire de Tours, *Histoire des Francs*, liv. VIII, p. 123 de l'éd. de Paris, 1893.

10. Dr Percy, art. «Anthropotamie» du *Dictionnaire des sciences médicales* de Panckouké, t. 9, p. 523.

11. Valens Acidalius, *Paradoxe sur les femmes...*, Cracovie, 1761 ; trad. de l'ouvrage latin de 1595, *Mulieres homines non esse*, p. 64.

12. Feijoo, cité dans le *Journal étranger* de 1755, p. 200.

13. J.P. Martely, *De natura animalium*, Paris, 1638.

14. In Thomassy, *De la nécessité d'appeler les filles au trône de France*, Paris, 1820, p. 79.

15. *Le Parfait Courtisan et la Dame de cour*, éd. de Paris, 1690, p. 347-348.

16. *Le Pime nove del altro mondo, cioe, l'admirabile historia intitulata, la vergine venetiana*, Venise, 1555 ; trad. française par Henri Morard, Paris, 1928, p. 12.

17. *Ibid.*, p. 29.

18. *Ibid.*, p. 54.

19. *Ibid.*, Introduction, p. VII.

20. E. Legouvé, *Histoire morale des femmes*, Paris, 1849, p. 15.

21. XII, 2, 6.

22. Lois de Manou, liv. IX, 138, et II, 33.

23. L.J. Larcher, *op. cit.*, p. 149.

24. Aristophane, *Les Grenouilles*.

25. Coran XVI, 60-61.

26. *Alphabet, op. cit.*, p. 262.

27. *Op. cit.*, p. 38.

28. Ch. Pierquin de Gembloux, *Histoire de Jeanne de Valois*, Paris, 1840.

29. *Op. cit.*, p. 17.

30. Pierre Darmon, *Le Mythe de la procréation à l'âge baroque*, Paris, Éd. du Seuil, «Points-Histoire», 1981, p. 39 *sq.*

31. *Op. cit.*, p. 76.

32. P. Caillet, *Le Tableau du mariage représenté au naturel*, Orange, 1635, p. 221.

33. *Alphabet, op. cit.*, p. 159.

34. *Ibid.*, p. 1 *sq.*

35. J. de Marconville, *op. cit.*, p. 74.

36. *Ibid.*, p. 58.

37. *Le Marteau des sorcières, op. cit.*, p. 203.

38. F. de Rosset, *Histoires tragiques de nostre temps*, Lyon, éd. de 1721, p. 210.

39. P. Darmon, *op. cit.*, p. 187.

40. *Le Marteau des sorcières, op. cit.*, p. 207.

41. *Op. cit.*, p. 73.

42. Dr P. Bailly, *Questions naturelles et curieuses...*, Paris, 1628, p. 513.

43. *Op. cit.*, p. 203.

44. Émise par Pline le Jeune, l'idée est reprise par Sprenger, Caillet, J. Olivier...

45. *Essais*, II, 8, III, 4 et 5.

46. Cité par J. Olivier, *Alphabet, op. cit.*

47. *Op. cit.*, p. 208.

48. *La Sorcière*, Paris, Garnier-Flammarion, 1966, p. 31.

49. *Ibid.*, p. 128.

50. *Le Musée des sorcières*, Paris, 1929, p. 35.

Chapitre 2.

1. *Le Bon Mariage ou le Moyen d'estre heureux et faire son salut en estat de mariage*, Douai, 1643, p. 30 *sq.*

2. *Alphabet, op. cit.*, p. 18.

3. Père P. de Barry, *La Mort de Paulin et d'Alexis*, Lyon, 1658.

4. P.J. Du Bosc, *L'Honneste Femme*, Paris-Douai, 1692, p. 234.

5. P. de Barry, *op. cit.*

6. P. de Marconville, *op. cit.*, p. 64 *sq.*

7. Proverbe, V, 3, 8, VII, 5, 12.

8. Eccles., VII, 26.

9. Isaïe, III, 16-23.

10. Ézéchiel, XVI, 35-39.

11. J. Delumeau, *op. cit.*, p. 309.

12. *Livre de l'ornement des femmes*, IIe siècle.

13. *Livre de la suite du monde*, IVe siècle.

14. *Règle des moines*, ch. 48.

15. *Épître de l'État.*

16. Saint Ambroise, *Livre de la pénitence*, ch. 13.

17. Saint Augustin, *Épître 109.*

18. Basile de Césarée (IVe siècle), *Exposition sur le troisième chapitre d'Isaïe.*

19. *Op. cit.*

20. *Ibid.*, liv. II, ch. 5.

21. Saint Ambroise, *Livre des vierges.*

22. *Le Pédagogue,* ch. 2.

23. Saint Grégoire de Niziance (IVᵉ s.), *Discours contre les femmes qui se parent avec trop de vanité.*

24. Tertullien, *op. cit.,* liv. II, ch. 2.

25. Saint Augustin, *Épître 37.*

26. Tertullien, *op. cit.,* liv. II, ch. 5.

27. *Ibid.,* liv. II, ch. 17, *De l'obligation du voile,* et saint Ambroise, *Livre de la pénitence.*

28. Tertullien, *op. cit.,* liv. II, ch. 13.

29. *Livre de la discipline et de l'habitude.*

30. *Huitième homélie sur la lettre à Timothée,* ch. 2.

31. Anonyme, *Discours nouveau de la mode,* s.l., 1613.

32. J.A. Dulaure, *Des divinités génératrices chez les Anciens et les Modernes,* Paris, éd. de 1904, p. 247 (1ʳᵉ éd., Paris, 1805).

33. J. Polman, *Le Chancre ou Couvre-sein féminin,* Douai, 1635, p. 15.

34. *Ibid.,* p. 15.

35. L. de Bouvignes, *Le Miroir de la vanité des femmes mondaines,* Namur, 1675, p. 45.

36. *Op. cit.,* p. 86-87.

37. *Discours particulier contre les femmes débraillées de ce temps,* Paris, 1623, p. 63.

38. *Op. cit.,* p. 3.

39. *Le Réveil-matin des dames,* Paris, 1638.

40. *Op. cit.,* p. 87-88.

41. *Op. cit.,* p. 276-277.

42. Anonyme, *La Courtisane déchiffrée,* Paris, 1642, p. 293.

43. *Le Voile ou Couvre-chef féminin,* sermon faisant suite au *Chancre ou Couvre-sein féminin, op. cit.,* p. 104.

44. *Traité contre le luxe des coiffures,* Paris, 1646.

45. *Lettre d'un docteur de Sorbonne à une femme de qualité touchant les dorures des habits des femmes,* Paris, 1696, p. 25.

46. *Contre les danses,* s.l.n.d.

47. *Op. cit.*

48. Sieur de La Serre, *Le Réveil-matin des dames, op. cit. ;* père Louis de Bouvignes, *Le Miroir de la vanité des femmes mondaines, op. cit. ;* L.S. Rolet, *Le Tableau des piperies des femmes mondaines,* Cologne, 1685.

49. Sieur de La Serre, *op. cit.,* p. 108.

50. L.S. Rolet, *op. cit.,* p. 29.

51. Sieur de La Serre, *op. cit.,* p. 58.

52. L.S. Rolet, *op. cit.,* p. 29.

53. *Ibid.,* p. 62-63.

54. *Ibid.,* p. 64-65.

55. *Ibid.,* p. 59.

56. *Ibid.*, p. 29-30.
57. *Ibid.*, p. 119-120.
58. *Ibid.*, p. 49.
59. Sieur de La Serre, *op. cit.*, p. 3 et 23.
60. L.S. Rolet, *op. cit.*, p. 42.
61. *Ibid.*, p. 125-130.

Chapitre 3.

1. P. 3.
2. Leyde, 1660, p. 1.
3. *Questions traitées aux conférences du bureau d'adresse*, Paris, 1641.
4. *Op. cit.*, p. 28.
5. *Op. cit.*, p. 18.
6. *Op. cit.*, p. 26.
7. *Paradoxe apologétique où il est fidèlement démonstré que la femme est beaucoup plus parfaicte que l'homme*, Paris, 1596, p. 100.
8. *Op. cit.*, p. 26 et 28.
9. *Op. cit.*, p. 9.
10. A. de Pont-Aimery, *op. cit.*, p. 67.
11. *Op. cit.*, p. 16.
12. Paris, 1772, p. 95-96.
13. *Le glorie immortali de' triofi et heroiche impresses d'ottocente quaranta cinque donne illustri...*, Venise, 1609.
14. *Les Éloges et les vies des reynes, des princesses et des dames illustres en piété, en courage et en doctrine qui ont fleury de nostre temps et du temps de nos pères*, Paris, 1667 (2 vol.).
15. Liv. II, ch. 35.
16. *Ibid.*
17. *Op. cit.*, p. 108-109.
18. *Op. cit.*, p. 27.
19. Lucien Febvre, *Autour de l'«Heptaméron», amour sacré, amour profane*, Paris, 1944 ; Pierre Jourda, *Marguerite d'Angoulême, duchesse d'Alençon, reine de Navarre*, Paris, 1930 ; Abel Lefranc, *Marguerite de Navarre et le platonisme de la Renaissance*, Paris, 1897, Bibliothèque de l'École des Chartes, t. LVIII ; E.V. Telle, *L'Œuvre de Marguerite d'Angoulême, reine de Navarre et la Querelle des femmes*, Toulouse, 1934 ; M. Albistur et D. Armogathe, *Histoire du féminisme français*, Paris, Éditions des femmes, 1977, p. 106-109.
20. *Op. cit.*, p. 107.
21. *Ibid.*, p. 107.
22. *Ibid.*, p. 111.

23. *Ibid.*, p. 125-126.

24. *De l'égalité des hommes et des femmes*, Paris, 1622.

25. Michel Delon a retracé la carrière d'Anne-Marie Schurman dans la revue *Europe*, octobre 1978, p. 75-77.

26. *Les dames illustres où par bonnes et fortes raisons, il se prouve que le sexe féminin surpasse en toutes sortes de genres le sexe masculin*, Paris, 1665.

27. *Op. cit.*, p. 78.

28. *De l'égalité des hommes et des femmes, op. cit.*, p. 3.

29. *Ibid.*, p. 2.

30. *Ibid.*, p. 15-16.

31. *Ibid.*, p. 29.

32. *Ibid.*, p. 70-71.

33. *De l'excellence de l'homme...*, *op. cit.*, p. 5.

Chapitre 4.

1. J. Nider, *Formicarius*, Lyon, 1582, ch. 10.

2. Supplément au *Glossaire* de Ducange, art. «Confessio».

3. Jean de Douai, *Sermon aux Champeaux*, cité par Antony Méray, *la Vie au temps des libres pécheurs*, Paris, 1878, t. II, p. 139.

4. A. Schoeffer, *Un moine protestant avant la Réforme*, cité par A. Méray, *op. cit.*

5. M. Menot, *Sermones quadragesimales*, Paris, 1530 ; O. Maillard (à ne pas confondre avec le père Claude Maillard), *Quadragesimale opus declamatum Parisiorum urbe ecclesia Sancti Johannis in Gravie*, 1re éd. s.l., 1498 ; *Sermones de adventu, dominicales et de peccati stipendio et gratie premio*, Lyon, 1503.

6. Genève, 1566. Plusieurs citations sont extraites du chapitre 35 de cet ouvrage : «De plusieurs sortes de questions, et aucunes non moins méchantes que frivoles, dont aussi estoient garnis lesdits prescheurs», p. 507 *sq.* Voir également A. Méray, *op. cit.*, p. 134 *sq.*

7. BN, ms. fr. 10145, *Proverbes français*, cité par J. Plattard, dans ses commentaires sur l'œuvre de Marot, Paris, 1929, t. IV, p. 15.

8. Supplément au *Glossaire* de Ducange, art. «Prisio».

9. *Les Escraignes dijonnoises*, Rouen, 1598, éd. de 1640, p. 24-26.

10. *Les Dames galantes*, Paris, Garnier, 1960, p. 451.

11. *Dixain des Innocens*, cité par J. Plattard, *op. cit.*, p. 14-16.

12. A. Méray, *op. cit.*, p. 107-108.

13. Dreux de Radier, *Récréations historiques*, Paris, 1767, t. I, p. 269.

14. *Ibid.*, p. 269.

15. *Chronique* de Monstrelet, Paris, 1512, t. III, p. 55.

16. *Journal du règne d'Henri III*, Paris, 1660, p. 177.
17. *Op. cit.*, p. 177.
18. *Le Miroir de la beauté...*, Paris, 1615, p. 213.
19. *Op. cit.*, p. 144.
20. Terminologie adoptée par les juristes Tagereau et Anne Robert, et par les docteurs Séverin Pineau, Joubert, Du Laurens et Venette.
21. *Traité des hermaphrodits, parties génitales, accouchemens...*, Paris, 1880, d'après l'édition originale de Rouen, 1612, p. 116 *sq.*
22. *Ibid.*, p. 119.
23. Dr Duval, *op. cit.*, p. 119.
24. *La Génération de l'homme ou tableau de l'amour conjugal*, Parme, 1696, p. 18.
25. *Op. cit.*, p. 119.
26. Brantôme, *op. cit.*, p. 164-165.
27. *Ibid.*, p. 165-166.
28. *Op. cit.*, p. 18.
29. *Toutes les œuvres*, rééd. de 1921, p. 392.
30. *Op. cit.*, p. 101.
31. *Œuvres de chirurgie*, éd. de 1649, p. 483.
32. *Op. cit.*, p. 173.
33. Ch. 35.
34. *Op. cit.*, p. 18.
35. *Op. cit.*, p. 392.
36. *Trois livres des maladies des femmes*, Rouen, 1649, p. 209.
37. *Op. cit.*, p. 215-216.
38. *Ibid.*, p. 217-218.
39. *Ibid.*, p. 193.
40. *Ibid.*, p. 193.
41. *Op. cit.*, p. 164.
42. Cité par Paul Lacroix, *Histoire de la prostitution*, Paris, 1866, t. VI, p. 50.
43. *Op. cit.*, p. 173.

Chapitre 5.

1. Maître Anne Robert, *Quatre livres des arrests*, Paris, 1627, p. 56.
2. *Toutes les œuvres*, Paris, 1649, p. 485.
3. *Discours de l'impuissance de l'homme*, Paris, 1611, p. 485.
4. *Op. cit.*, p. 76.
5. Charles Fevret, *Traité de l'abus*, Dijon, 1654, p. 534.
6. Anne Robert, *op. cit.*, p. 563.
7. V. Tagereau, *op. cit.*, p. 584.

8. *De la maladie d'amour ou mélancolie érotique,* Paris, 1623.

9. *Ibid.*

10. P. Caillet, *op. cit.,* p. 62.

11. *Op. cit.,* p. 336.

12. *Op. cit.,* p. 148.

13. *Ibid.,* p. 147.

14. *Ibid.,* p. 152.

15. *Op. cit.*

16. *Trois livres des maladies et infirmitez des femmes,* Rouen, 1649, p. 100.

17. *Op. cit.,* p. 76.

18. *Toutes les œuvres,* Amsterdam, 1686, t. I et II.

19. *Jeanne Guyon,* Paris, Flammarion, 1978.

20. *Ibid.,* p. 8-9.

21. *Vie de Mme Guyon,* par elle-même, Cologne, 1720, 3 vol.

22. Les pièces de l'affaire Girard-Cadière ont été imprimées au XVIIIᵉ siècle en Hollande, Amsterdam, 1733, 8 vol. ; Gayot de Pitival, *Causes célèbres...,* Paris, 1738, t. VI ; F. Richer, *Causes célèbres...,* 1773, t. II ; marquis d'Argens, *Mémoires,* Paris, 1735.

23. *Hexaméron,* Paris, 1568, p. 229.

24. A. Benet, *Procès-verbal fait pour délivrer une fille possédée à Louviers,* publié d'après le manuscrit original de la Bibliothèque nationale de 1591, Paris, 1883, p. 235.

25. H. Gélin, *Un procès en sorcellerie dans l'Ancienne France : Andrée Garaude de Noirlieu près Bressuire, brûlée vive en 1475,* Niort, 1909, p. 18.

26. Le Franc, *Champion des dames,* Bibliothèque nationale, ms. fr. fonds ancien, 841, s.l.n.d., p. 124.

27. H. Gélin, *op. cit.,* p. 14.

28. De Lancre, *Tableau de l'inconstance des mauvais anges,* Paris, 1612, cité par J.-L. Flandrin, *les Amours paysannes,* Paris, Gallimard, « Archives », 1975, p. 170-171.

29. *Op. cit.,* t. I, p. 214 *sq.*

Chapitre 6.

1. *Op. cit.*

2. *Ibid.,* p. 102.

3. *Ibid.,* p. 80.

4. *Ibid.,* p. 176.

5. *Op. cit.,* p. 109-110.

6. *De l'heur et malheur du mariage,* Paris, 1564, p. 44.

7. *Op. cit.*, p. 107.

8. J. de Marconville, *op. cit.*, p. 36.

9. C. Maillard, *op. cit.*, p. 261.

10. *Ibid.*, p. 268.

11. Anonyme, *Le Purgatoire des hommes mariés*, Paris, 1613.

12. C. Maillard, *op. cit.*, p. 117.

13. *Op. cit.*, p. 109.

14. Cité par L. Chabaud, *les Précurseurs du féminisme*, Paris, Plon, 1905, p. 150.

15. *Ibid.*, p. 149.

16. *Avis d'une mère à son fils et à sa fille*, éd. de Paris, 1734, p. 181.

17. Mme d'Épinay, *Œuvres*, d'après l'édition de Genève, 1759, Paris, 1869, t. I, p. 101 *sq.* (2 vol.).

18. Cailly, *De la nécessité du divorce*, Paris, 1790, p. 11.

19. *Le Médecin des dames...*, Paris, 1771, p. 157.

20. *Op. cit.*, p. 59.

21. *Réflexions philosophiques sur le plaisir, par un célibataire*, Lausanne, 1784.

22. *Tableaux de Paris*, Paris, 1781-1782, art. «Filles nubiles».

23. S. Mercier, *op. cit.*, art. «Les demoiselles».

Chapitre 7.

1. R.P.L. Benedicti, *La Somme des péchez et les Remèdes d'iceux*, Paris, 1651, p. 184.

2. *La Practique et Enrichidion des causes criminelles*, Louvain, 1555, p. 184.

3. *Les Procès civils et criminels*, Rouen, p. 12.

4. *Op. cit.*, p. 127.

5. *Ibid.*, p. 128.

6. *Ibid.*, p. 129.

7. C'est-à-dire les parties qui doivent rester cachées.

8. J. Damhoudere, *op. cit.*, p. 128.

9. J. Peleus, *Actions forenses singulières et remarquables*, Paris, 1638, liv. VI; J.-F. Fournel, *Traité de l'adultère considéré dans l'ordre judiciaire*, Paris, 1778, p. 266.

10. C. Henrys, *Œuvres de Maître Claude Henrys*, Paris, 1708, t. II, p. 529.

11. L. Petit de Bachaumont, *Mémoires pour servir à l'histoire de la société françoise à la fin du règne de Louis XV*, Paris, 1762-1774, non paginé, en date du 13 janvier 1774.

12. Cité par P.J. Caffiaux, *Défense du beau sexe ou mémoires*

historiques, philosophiques et critiques, pour servir d'apologie aux femmes, Amsterdam, 1753, p. 115.

13. *Ibid.*, p. 119.

14. 100 sols toulousains à Grenade, 60 sols à Prissey, près de Mâcon, et à Montfaucon, 5 à Castelnaudary, 25 florins à Vienne...

15. Ducange, *Glossaire*, art. «*Processiones publicae*», «*Villania*», «*Lapides catenatos ferre*», «*Putagium*»; J.A. Dulaure, *Des divinités génératrices chez les anciens et les modernes*, Paris, 1905, p. 234 sq. (1ʳᵉ éd., Paris, 1804).

16. J.F. Fournel, *op. cit.*, p. 18 sq.; P.J. Brillon, *Dictionnaire des arrest...*, art. «Adultère», t. I, p. 59.

17. H. de Boniface, *Arrests notables de la cour de parlement de Provence*, Paris, 1670, t. V. liv. 4; P.J. Brillon, *op. cit.*, p. 59.

18. J.F. Fournel, *op. cit.*, p. 252.

19. *Ibid.*, p. 172.

20. J. Papon, *Recueil d'arrests notables des cours souveraines de France*, Paris, 1565, liv. I, titre 5, n° 34.

21. J.F. Fournel, *op. cit.*, p. 166.

22. Du Fail, *Plaidoyez*, liv. 3, ch. 437.

23. La Rocheflavin, *Arrests notables du parlement de Toulouse*, Toulouse, 1617, p. 8-9.

24. J. Papon, *op. cit.*, p. 449.

25. *Op. cit.*, p. 326 et 327.

26. J. Papon, *op. cit.*, p. 448-449.

27. J.F. Fournel, *op. cit.*, p. 336.

28. P. Le Ridant, *Code matrimonial*, Paris, 1770, t. II, p. 514-515.

29. F. Gayot de Pitival, *op. cit.*, t. III. Une importante liasse de factums sur cette pitoyable affaire est conservée à la Bibliothèque nationale sous les cotes 4° Fm 29.939 sq.; 4° Fm 25.770; Thoisy 95 sq.

30. *Dissertations sur la génération*, Paris, 1718, p. 209 sq.

31. *Op. cit.*, p. 190.

32. *Op. cit.*, p. 275 et 360.

33. F. Doppet, *Traité du fouet*, Paris, 1788, p. 24-25.

Chapitre 8.

1. Barbantane, pseud. de l'archevêque Dard du Bosco, *Discours sur la femme*, Paris, 1754, p. 62.

2. Bruxelles, 1715.

3. *Ibid.*, p. 1.

4. *Dissertation sur la question «Lequel de l'homme ou de la femme est plus capable de constance?» ou la Cause des dames*, Paris, 1750.

5. *Le Partisan des femmes ou la Source du mérite des hommes*, Paris, 1758.

6. *Défense du beau sexe, op. cit.*

7. *L'Ingénue ou l'Encensoir des dames*, par la nièce à mon oncle, Paris, 1770.

8. Fénelon, *Traité de l'éducation des filles*, Paris, 1687 ; Abbé Fleury, *Traité du choix et de la méthode des études*, Paris, 1686, ch. 36, « Études des filles » ; Mme de Maintenon, *Correspondance*, 1686-1713, Amsterdam, 1756.

9. *Émile ou De l'éducation*, Paris, Garnier, 1961, liv. V, « Sophie ou la femme », p. 445.

10. *De l'éducation des femmes*, publié d'après le manuscrit de la Bibliothèque nationale (1783) par Edmond Champion, Paris, 1903.

11. *Op. cit.*, t. III, p. 150.

12. *Les Gynographes, op. cit.*, p. 63 *sq.*

13. *Ibid.*, p. 65-66.

14. *Les Colloques d'Érasme*, ouvrage traduit par le sieur de Gueudeville, t. I., *les Femmes*, Leyde, 1720, p. 134.

15. *Op. cit.*, p. 107.

16. *Émile, op. cit.*, p. 445.

17. *Œuvres complètes* de Diderot, Paris, Gallimard, « La Pléiade », 1951, p. 981.

18. *Histoire du féminisme français, op. cit.*, p. 200.

19. Selon l'expression de J.-P. Aron et R. Kempf, *Le Pénis ou la Démoralisation de l'Occident*, Paris, Grasset, 1978.

20. *Op. cit.*, p. 153.

21. *L'Amour en Occident à l'époque moderne*, Paris, Albin Michel, 1976, p. 109.

22. *L'Onanisme ou dissertation physique sur les maladies produites par la masturbation*, Lausanne, 1760.

23. *Op. cit.*, p. 60.

24. Michel Delon, « Une maladie nouvelle au XVIIIᵉ siècle, la masturbation », *Contraception, fertilité, sexualité*, septembre 1981, p. 585.

25. Réédité aux éditions du Sycomore et présenté par Jean-Marie Goulemot, Paris, 1981.

26. *Ibid.*, p. 15-16.

27. J.-M. Goulemot, numéro spécial de *Dix-huitième siècle*, in *Représentations de la vie sexuelle*, Paris, Garnier, 1980, art. « Fureur utérine », p. 100.

28. *Œuvres complètes, op. cit.*, p. 979-988.

29. Éd. de Paris, 1878, art. « Femme », t. III, p. 95 *sq.*

30. Voir l'*Épître à la marquise du Châtelet* en préface à la tragédie d'*Alzire*.

31. *Les Lettres persanes*, Paris, Garnier, 1965, 38ᵉ lettre.

32. *Œuvres* publiées par O'Connor et Arages en 12 vol., Paris, 1847, t. X, p. 121-130.

33. *Ibid.*, p. 121-122.

34. *Ibid.*, p. 125.

35. F. Boissel, *Le Catéchisme du genre humain*, s.l., 1789.

36. *Ibid.*, p. 35-36.

Chapitre 9.

1. J.-Paul Aron, *Misérable et glorieuse, la femme au XVIIIe siècle*, Paris, Fayard, 1980, « Les médecins et les femmes », p. 79-80.

2. Paris, 2 vol.

3. *Ibid.*, éd. de Paris, 1860, p. 36.

4. *Dictionnaire des sciences médicales*, Paris, 1819, t. 14, art. « Femme ».

5. *Histoire médicale et philosophique de la femme*, Paris, 1845, p. 79.

6. *Ibid.*, p. 80.

7. Cité par Jean Borie, « Une gynécologie passionnée », in *Misérable et glorieuse...*, op. cit., p. 157-158.

8. *La Femme, physiologie, histoire, morale*, Paris, 1845, p. 261.

9. Art. « Femme », t. VI, p. 471.

10. *Le Système organique*, op. cit., p. 35-36.

11. *Essai sur le caractère, les mœurs et l'esprit des femmes*, Paris, 1772, p. 139.

12. J.J. Virey, *De l'influence des femmes sur le goût dans la littérature et les beaux arts*, Paris, 1810, p. 68.

13. *Op. cit.*, p. 79.

14. *Ibid.*, p. 128.

15. In *Dictionnaire...*, op. cit., t. 14, p. 14, p. 547.

16. *De la recherche de la vérité*, Paris, 1675, p. 209-212.

17. *La Médecine de l'esprit*, Paris, 1753, p. 98.

18. *Op. cit.*, p. 55.

19. *Dictionnaire...*, op. cit., p. 557.

20. *Op. cit.*, p. 56.

21. J.J. Virey, *Dictionnaire...*, op. cit., p. 553.

22. *Ibid.*, p. 545.

23. P. Roussel, *op. cit.*, p. 69.

24. *Ibid.*, p. 56.

25. Dr de Menville, *op. cit.*, p. 120.

26. *Op. cit.*, p. 56.

27. *Op. cit.*, p. 120.

28. *Année littéraire*, 1766, t. VI, p. 27.

29. J.J. Virey, *Dictionnaire...*, *op. cit.*, p. 546.
30. *Ibid.*, p. 570.
31. *Ibid.*, p. 547.
32. *Ibid.*, p. 560.
33. *Op. cit.*, p. 85.
34. J.J. Virey, *De la femme...*, *op. cit.*, p. 87.
35. *Ibid.*, p. 544.
36. *Ibid.*, p. 555.
37. Thomas, *op. cit.*, p. 116.
38. *Op. cit.*, p. 76.
39. *L'Ami des femmes ou le Philosophe du beau sexe*, Paris, 1774, p. 32.
40. *Op. cit.*, p. 65.
41. P.J. Boudier de Villemert, *op. cit.*, p. 66.
42. *Dictionnaire...*, *op. cit.*, p. 560.
43. *Op. cit.*, p. 24.
44. A. Thomas, *op. cit.*, p. 129.
45. J.J. Virey, *De la femme...*, *op. cit.*, p. 130.
46. A. Thomas, *op. cit.*, p. 130. Idée reprise au XIXe siècle par Virey et Menville.
47. *Op. cit.*, p. 39.
48. Thomas, *op. cit.*, p. 122.
49. Art. « Femme », *op. cit.*, p. 472.
50. *Op. cit.*, p. 556 et 564.
51. *Op. cit.*, p. 79.
52. *Op. cit,*, p. 248.
53. *Op. cit.*, p. 137.
54. P.J. Boudier de Villemert, *op. cit.*, p. 24.
55. *Ibid.*, p. 115.
56. P. Roussel, *op. cit.*, p. 30.
57. *Ibid.*, p. 30.
58. *Ibid.*, p. 31.
59. *Ibid.*, p. 33.
60. *Op. cit.*, p. 111.
61. *Grande Encyclopédie*, art. « Femme », *op. cit.*, p. 472.
62. *Op. cit.*, p. 67.
63. J.J. Virey, *Dictionnaire...*, *op. cit.*, p. 559.
64. P. Roussel, *op. cit.*, p. 38.
65. Dr Belouino, *op. cit.*, p. 292.
66. *Dictionnaire...*, *op. cit.*, p. 563.
67. Art. « Femme », *op. cit.*, p. 472.
68. *Op. cit.*, p. 31.
69. *De la femme...*, *op. cit.*, p. 38.
70. *Ibid.*, p. 555.

71. *Ibid.*, p. 566-567.
72. A. Thomas, *op. cit.*, p. 472.
73. J.J. Virey, *Dictionnaire...*, *op. cit.*, p. 563-564.
74. *Ibid.*, p. 560.
75. P. Roussel, *op. cit.*, p. 41.
76. *Ibid.*, p. 37-38.
77. *Dictionnaire, op. cit.*, p. 556.
78. *Ibid.*, p. 560-561.
79. *L'Esprit des lois*, Paris, Garnier, 1962, t. I, p. 114.
80. *Ibid.*, p. 286.
81. *Op. cit.*, p. 160.
82. *Ibid.*, p. 171.
83. *Dictionnaire...*, *op. cit.*, p. 569-570.
84. *Op. cit.*
85. *Ibid.*, p. 47.
86. *Ibid.*, p. 27.
87. *Ibid.*, p. 52.
88. *Ibid.*, p. 62.

Épilogue.

1. *La Volonté de savoir*, Paris, Gallimard, 1976, p. 9-10.
2. J.-P. Aron, *Misérable et glorieuse...*, *op. cit.*, p. 9 sq.

Bibliographie

Acidalius, Valens, *Paradoxe sur les femmes où l'on tâche de prouver qu'elles ne sont pas de l'espèce humaine*, Cracovie, 1761 ; trad. du latin par Meusnier de Querlon d'après l'édition de 1595 : *Disputatio perjucunda qua anonymus probare nititur mulieres homines non esse.*

Agrippa, Henri Corneille, *De l'excellence et de la supériorité de la femme ;* trad. du latin par Roetitg, Paris, 1801, d'après l'édition de 1529.

Archambault, Mlle..., *Dissertation sur la question «Lequel de l'homme ou de la femme est plus capable de constance ?», ou la Cause des dames*, Paris, 1750.

Argens, Jean Baptiste de Boyer, marquis d', *Mémoires avec quelques lettres sur divers sujets*, Paris, 1735.

Bachaumont, Louis Petit de, *Mémoires pour servir à l'histoire de la société françoise à la fin du règne de Louis XV*, Paris, 1762-1774.

Bailly, Dr Pierre, *Questions naturelles et curieuses contenant diverses opinions problématiques recueillies de la médecine*, Paris, 1628.

Barbantanne, archevêque Dard du Bosco, *Discours sur les femmes*, Paris, 1754.

Barry, père Paul de, *La Mort de Paulin et d'Alexis, illustres amants de Dieu...*, Lyon, 1658.

Belouino, Dr Pierre, *La Femme, physiologie, histoire, morale*, Paris, 1845.

Benedicti, père Jean, *La Somme des pechez et remèdes d'iceux*, Paris, 1601.

Benet, Armand, *Procès-verbal pour délivrer une fille possédée à Louviers*, publié d'après le manuscrit original de la Bibliothèque nationale de 1591, Paris, 1883.

Bensérade, Isaac de, *Poésies*, Paris, 1875 (publiées par Octave Uzanne).

Bienville, Dr J. D. T., *La Nymphomanie ou Traité de la fureur utérine*, Paris, 1771 ; rééd. aux Éd. du Sycomore et présenté par Jean-Marie Goulemot, Paris, 1981.

Boileau, abbé Jacques, *De l'abus des nudités de gorge*, Bruxelles, 1675.

Boissel, François, *Le Catéchisme du genre humain*, s.l., 1789.

Boniface, Hyacinthe de, *Arrests notables de la cour de parlement de Provence*, Paris, 1670.

Boudier de Villemert, Pierre Joseph, *L'Ami des femmes ou le Philosophe du beau sexe*, Paris, 1774.

Bourignon, Antoinette, *Toutes les œuvres*, Amsterdam, 1686 (6 vol.).

Bouvignes, père Louis de, *Le Miroir de la vanité des femmes mondaines*, Namur, 1675.

Brantôme, Pierre Bourdeille, seigneur de, *Les Dames galantes*, Paris, Garnier, 1960 (éd. annotée par Maurice Rat).

Brillon, Pierre Jacques, *Dictionnaire des arrests ou jurisprudence universelle des parlements et autres tribunaux de France*, Paris, 1711 (2 vol.).

Caffiaux, Philippe Joseph, *Défense du beau sexe ou mémoires historiques, philosophiques et critiques, pour servir d'apologie aux femmes*, Amsterdam, 1753.

Caillet, Paul, *Le Tableau du mariage représenté au naturel*, Orange, 1635.

Cailly, *De la nécessité du divorce*, Paris, 1790.

Castiglione, Balthazar, *Le Parfait Courtisan et la Dame de cour*, Paris, 1690.

Chabaud, Louis, *Les Précurseurs du féminisme*, Paris, Plon, 1905.

Condorcet, Marie Jean Antoine, marquis de Caritas, *Sur l'admission des femmes au droit de cité*, tome X des *Œuvres* publiées par O'Connor et Arages, Paris, 1847 (12 vol.).

Damhoudere, Josse, *La Practique et Enrichidion des causes criminelles*, Louvain, 1555.

Desmahis, Joseph François, art. « Femme » de la *Grande Encyclopédie*, t. VI.

Diderot, Denis, *Essai sur les femmes*, in *Œuvres*, Paris, Gallimard, « La Pléiade », 1951.

Doppet, François Amédée, *Traité du fouet et de ses effets sur le physique de l'amour ou aphrodisiaque externe, ouvrage médico-philosophique...,* Paris, 1788.

Dreux de Radier, *Récréations historiques,* Paris, 1767.

Drouet de Maupertuis, Jean Baptiste, *Le Commerce dangereux entre les deux sexes...,* Bruxelles, 1715.

Du Bosc, Pierre Jacques, *L'Honneste Femme,* Paris-Douai, 1692.

Du Cange, Charles Dufresne, sieur, *Glossarium ad scriptores mediae et infimae graecitatis,* 1688 (2 vol.).

Du Commun, Nicolas, *Éloge des tétons, ouvrage curieux, galant et badin, composé pour le divertissement des Dames,* Cologne, 1775.

Dufour, Paul, sous le pseudonyme de Paul Lacroix, *Histoire de la prostitution,* Paris, 1851 (8 vol.).

Dulaure, Jacques Antoine, *Des divinités génératrices chez les Anciens et les Modernes,* Paris, 1904 (1ʳᵉ éd., Paris, 1805).

Du Laurens, André, *Toutes les œuvres... recueillies et traduites en françois par Maître Théophile Gelée,* Rouen, 1639.

Dumas, Hilaire, *Lettre d'un docteur de Sorbonne à une dame de qualité touchant les dorures des habits des femmes,* Paris, 1696.

Duval, Jacques, *Traité des hermaphrodits, parties génitales, accouchemens...,* Paris, 1880 (d'après l'éd. originale de Rouen, 1612).

—, *La Femme foible,* Bruxelles, 1733.

Épinay, Louise Tardieu d'Esclavelle, marquise d', *Œuvres,* d'après l'édition de Genève (1759), Paris, 1869 (2 vol.).

Érasme, *Les Colloques d'Érasme,* ouvrage traduit par le sieur de Gueudeville, Leyde, 1720.

Estienne, Henri, *Introduction au traité de la conformité des merveilles anciennes avec les modernes...,* Genève, 1566.

Feijoo, *Apologie des femmes,* Paris, 1755 (trad. de l'espagnol par l'abbé Prévost).

Féline, père, *Le Catéchisme des gens mariés,* Caen, 1782.

Fénelon, François de Salignac de La Mothe, *Traité de l'éducation des filles,* Paris, 1687.

Ferrand, Jacques, *De la maladie d'amour ou mélancholie érotique. Discours curieux qui enseigne à cognoistre l'essence, les causes, les signes et les remèdes de ce mal fantastique,* Paris, 1623.

Fevret, Charles, *Traité de l'abus,* Dijon, 1654.

Fleury, Claude, *Traité du choix et de la méthode des études,* Paris, 1686.

Fournel, Jean François, *Traité de l'adultère considéré dans l'ordre judiciaire,* Paris, 1788.

Gayot de Pitival, François, *Causes célèbres et intéressantes avec les jugemens qui les ont décidés,* Paris, 1738.

Gélin, Henri, *Un procès en sorcellerie dans l'Ancienne France : Andrée Garaude de Noirlieu près Bressuire, brûlée vive en 1475,* Niort, 1909.

Goulin, Dr Jean, *Le Médecin des dames ou l'Art de les conserver en santé,* Paris, 1771.

Grégoire de Tours, *Histoire des Francs,* éd. de Paris, 1893.

Grillot de Givry, *Le Musée des sorcières,* Paris, 1929.

Guillaume, Jacquette, *Les Dames illustres où par fortes et bonnes raisons, il se prouve que le sexe féminin surpasse en toute sorte de genres le sexe masculin,* Paris, 1665.

Guillemeau, Jacques, *Œuvres de chirurgie,* Paris, 1649.

Guyon, Jeanne Marie, *Vie de Mme Guyon par elle-même,* Cologne, 1720 (3 vol.).

Guyon, Louis, *Le Miroir de la beauté et santé corporelle,* Lyon, 1615.

Hayley, William, *Traité sur les vieilles filles,* traduit de l'anglois par M. Sibille, Paris, 1788 (2 vol.).

Henrys, Claude, *Œuvres de Maître Claude Henrys,* Paris, 1708 (2 vol.).

Juvernay, Pierre, *Discours particulier contre les femmes débraillées de ce temps,* Paris, 1623.

Choderlos de Laclos, Pierre Ambroise, *Les Liaisons dangereuses,* Paris, Garnier-Flammarion, 1962.

—, *De l'éducation des femmes,* publié d'après le manuscrit de la Bibliothèque nationale (1783) avec une introduction et des documents par Edouard Champion, Paris, 1903.

La Coste, Hilarion de, *Les Éloges et les Vies des reynes, des princesses et des dames illustres...,* Paris, 1667.

Lafayette, Marie Madeleine Pioche de La Vergne, comtesse de, *La Princesse de Clèves,* 1678.

Lambert, Anne Thérèze de Marguerat de Courcelles, marquise de, *Avis d'une mère à son fils et à sa fille,* Paris, 1734 (3e éd.).

Larcher, Louis Julien, *La Femme jugée par l'homme. Documents pour servir à l'histoire morale des femmes*, Paris, 1858.

—, *La Femme jugée par les grands écrivains des deux sexes*, Paris, 1861.

La Rivière, Alexandre de, *Le Partisan des femmes ou la Source du mérite de l'homme*, Paris, 1758.

Le Scène des Maisons, Jacques, *Contrat conjugal ou loix du mariage, de la répudiation et du divorce*, s.l., 1781.

La Serre, de, *Le Réveil-matin des dames*, Paris, 1688.

Lebrun de La Rochette, Claude, *Les Procès civils et criminels*, Rouen, 1611.

Le Camus, Antoine, *La Médecine de l'esprit*, Paris, 1753.

Le Franc, *Champion des dames*, Bibliothèque nationale, ms. fr., fond ancien, 841, s.l.n.d.

Legouvé, Ernest, *Histoire morale des femmes*, Paris, 1849.

Le Moyne, père Pierre, *La Galerie des femmes fortes*, Leyde, 1660.

Le Ridant, Pierre, *Code matrimonial*, Paris, 1770 (2 vol.).

L'Escale, chevalier de, *Le Champion des femmes, qui soutient qu'elles sont plus nobles, plus parfaites, et en tout plus vertueuses que les hommes*, Paris, 1618.

L'Estoile, Pierre de, *Journal du règne d'Henri III*, Paris, 1660.

Liébault, Dr Jean, *Trois livres des maladies des femmes*, Rouen, 1649.

Maillard, Claude, *Le Bon Mariage ou le Moyen d'estre heureux et faire son salut en estat de mariage*, Douai, 1643.

Maillard, Olivier, *Sermones de Adventu...*, Lyon, 1503.

—, *Quadragesimale opus declamatum Parisiorum urbe ecclesia sancti Johannis in Gravie*, Paris, 1508 (1re éd. 1498).

—, *Œuvres françaises, publiées d'après les manuscrits et les éditions originales avec introduction, notes et notices par Arthur de La Borderie*, Nantes, 1877.

Maintenon, Françoise d'Aubigné, marquise de, *Correspondance, 1686-1713*, Amsterdam, 1756.

Malebranche, père Nicolas, *De la recherche de la vérité*, Paris, 1675.

Marconville, Jean de, *De la bonté et mauvaisté des femmes*, Paris, 1564.

—, *De l'heur et malheur du mariage*, Paris, 1564.

Maréchal, Sylvain, *Projet de loi portant défense d'apprendre à lire aux femmes*, Paris, 1803.

Marguerite de Navarre, *L'Hexaméron*, Paris, 1568.

Marguerite de Valois, *L'Excellence des femmes avec leur response à l'autheur de l'« Alphabet »*, Paris, 1618.

Marot, Clément, *Œuvres complètes*, Paris, 1929 (5 vol. présentés par Jean Plattard).

Martely, Jean Pierre, *Libri de natura animalium in quibus explanatur Aristotelis philosophia de animalibus*, Paris, 1638.

Mauquest de La Motte, Guillaume, *Dissertations sur la génération*, Paris, 1718.

Maynard, François, *Poésies*, recueil de 1646, Paris, Garnier, 1927.

Menot, Michel, *Sermones quadragesimales*, éd. de 1530.

Menville, Dr Charles François de, *Histoire médicale et philosophique de la femme*, Paris, 1845.

Méray, Anthony, *La Vie au temps des libres prêcheurs*, Paris, 1878 (2 vol.).

Mercier, Sébastien, *Tableau de Paris*, Amsterdam (12 vol.).

Mercier de Compiègne, *Éloge du sein des femmes, ouvrage curieux dans lequel on examine s'il doit être découvert, s'il est permis de le toucher, quelles sont ses vertus, sa forme, son langage, son éloquence...*, Paris, 1800.

Meynier, Honorat, *La Perfection des femmes avec l'imperfection de ceux qui les méprisent*, Paris, 1625.

Michelet, Jules, *La Sorcière*, Paris, Garnier-Flammarion, 1966.

Monstrelet, Enguerrand de, *Chronique*, Paris, 1512 (3 t. en 2 vol.).

Montaigne, Michel Eyquem de, *Essais*, Paris, Garnier, 1958.

Montesquieu, Charles de Secondat, baron de La Brède et de, *Les Lettres persanes*, Paris, Garnier, 1965.

—, *L'Esprit des lois*, Paris, Garnier, 1962.

Nider, Johann, *Formicarius*, Lyon, 1582.

Olivier, Jacques, *Alphabet de l'imperfection et malice des femmes, par Jacques Olivier, licencié es loix du Droit canon*, Rouen, 1683 (1re éd. 1617).

—, *Responce aux impertinences de l'aposte capitaine Vigoureux sur la défense des femmes*, Paris, 1617.

Papon, Jean, *Recueil d'arrests notables des cours souveraines de France*, Paris, 1565.

Paracelse, *Toutes les œuvres*, rééd. de Paris, 1921.

Peleus, Jean, *Actions forenses singulières et remarquables*, Paris, 1638.

Pierquin de Gembloux, Charles, *Histoire de Jeanne de Valois, duchesse d'Orléans et de Berry*, Paris, 1840.

Polman, chanoine Jean, *Le Chancre ou Couvre-sein féminin*, suivi du *Voile ou Couvre-chef féminin*, Douai, 1635.

Pont Aimery, Alexandre de, *Paradoxe apologétique, où il est fidèlement démonstré que la femme est beaucoup plus parfaicte que l'homme en toute action de vertu*, Paris, 1656.

Postel, Guillaume, *Le Prime nove de altro mondo, cioe, l'admirabile historia intitulata, la vergine venetiana*, Venise, 1555 ; traduit de l'italien en français par Henri Morard, Paris, 1928.

Poullain de La Barre, François, *De l'égalité des deux sexes, discours physique et moral où l'on voit l'importance de se défaire des préjugés*, Paris, 1673.

—, *De l'excellence des hommes contre l'égalité des sexes*, Paris, 1675.

Renaudot, Théophraste, *Questions traitées aux conférences du bureau d'adresse...*, Paris, 1641.

Restif de La Bretonne, Nicolas, *Le Pornographe ou Idées d'un honnête homme sur un sujet de règlement pour les prostituées propres à prévenir les malheurs qu'occasionne le publicisme des femmes*, La Haye, 1769.

—, *Les Gynographes, projet de règlement proposé à toute l'Europe pour remettre les femmes à leur place et, par ce moyen, travailler efficacement à la réformation des mœurs*, La Haye, 1777.

Richer, François, *Causes célèbres et intéressantes avec les jugements qui les ont décidées*, Paris, 1773 (20 t.).

Robert, Anne, *Quatre livres des arrests*, Paris, 1627.

Rolet, Louis Sébastien, *Le Tableau des piperies des femmes mondaines où par plusieurs histoires se voyent les ruses et artifices dont elles se servent*, Cologne, 1685.

Rosset, François de, *Histoires tragiques de nostre temps*, Lyon, 1721.

Rousseau, Jean-Jacques, *Émile ou De l'éducation*, Paris, Garnier, 1961 (édition critique de François et Pierre Richard).

Roussel, Pierre, *Système physique et moral de la femme ou Tableau philosophique de la constitution de l'état organique, du tempérament, des mœurs et des fonctions propres au sexe*, Paris, 1775.

Sprenger, Jacob, et Institutor, Heinrich, *Malleus maleficarum, Maleficas et earum Haeresia et Phramea contenens*, Venise, 1576 (1re éd., Mayence, 1488) ; ouvrage traduit et présenté par Amand Danet : *le Marteau des sorcières*, Paris, Plon, 1973.

Tabourot, Étienne, *Les Escraignes dijonnoises*, Rouen, 1598.

Tagereau, Vincent, *Discours de l'impuissance de l'homme*, Paris, 1611.

Tailhant, curé de Soulatgé, *Jugement contre les danses par un curé du diocèse de Narbonne*, Toulouse, 1693.

Tarel, père, *La Chrestienne Instruction touchant la pompe et les excès des hommes débordés et des femmes dissolues*, s.l., 1600.

Thomas, Antoine, *Essai sur le caractère, les mœurs et l'esprit des femmes*, Paris, 1772.

Thomassy, *De la nécessité d'appeler au trône les filles de France*, Paris, 1820.

Tissot, Samuel, *L'Onanisme ou Dissertation physique sur les maladies produites par la masturbation*, Lausanne, 1760.

Torquemada, Antoine de, *Hexaméron ou six journées contenans plusieurs doctes discours sur aucuns poincts difficiles en diverses sciences, traduit de l'espagnol par Gabriel Chappuy, Tourangeau*, Paris, 1568.

Vassetz, abbé de, *Traité contre le luxe des coiffures*, Paris, 1646.

Venette, Nicolas, *La Génération de l'homme ou Tableau de l'amour conjugal*, Parme, 1696.

Vigoureux, capitaine du château de Brie-Comte-Robert, *La Défense des femmes contre l'Alphabet de leur prétendue malice et imperfection*, Paris, 1617.

Virey, Julien Joseph, *De l'influence des femmes sur le goût dans la littérature et les beaux arts pendant le XVIIe et le XVIIIe siècle*, Paris, 1810.

—, art. « Femme » du *Dictionnaire des sciences médicales*, Paris, Panckouke, 1812-1822 (67 vol.).

—, *De la femme sous ses rapports physiologiques, moral et littéraire*, Paris, 1825.

Voltaire, *Dictionnaire philosophique*, Paris, 1878 (4 vol.).

Anonymes

Des causes et des remèdes de l'amour, considéré comme maladie, par J. F., médecin anglais, Paris, 1773.

La Courtisane déchiffrée, Paris, 1642.

Discours nouveau sur la mode, s.l., 1613.

Glossaire français faisant suite au « Glossarium mediae et infimae latinitatis » avec additions de mots anciens extraits des glossaires de La Curne de Sainte-Pélagie, Roquefort, Raynouard, Burgy, Diez..., Niort, 1879 (2 vol.).

L'Ingénue ou l'Encensoir des dames, par la nièce à mon oncle, Paris, 1770.

Lettre à Monsieur Fréron sur la question : si les femmes ont reçu de la nature autant de forces que les hommes pour agir et penser, in *l'Année littéraire*, 1776, t. VI, p. 27 sq.

Réflexions philosophiques sur le plaisir, par un célibataire, Lausanne, 1784 (3e éd.).

Les Singeries des femmes de ce temps découvertes, et particulièrement d'aucunes bourgeoisies de Paris, Paris, 1623.

Le Triomphe des femmes, où il est montré par plusieurs et puissantes raisons, que le sexe féminin est plus noble et plus parfait que le masculin, par C. M. D. Noël, Anvers, 1698.

BIBLIOGRAPHIE

Travaux récents de référence

Albistur, M., et Armogathe, D., *Histoire du féminisme français*, Paris, Éd. des Femmes, 1977.

Aron, Jean-Paul, *Misérable et glorieuse, la femme au XVIIIe siècle*, Paris, Fayard, 1980 (présenté par Jean-Paul Aron).

Delon, Michel, «Cartésianisme(s) et féminisme(s)», *Europe*, octobre 1978, p. 73-86.

Delumeau, Jean, *La Peur en Occident, XIVe-XVIIIe siècle*, Paris, Fayard, 1978, «Les agents de Satan : la femme», p. 305-344.

Duby, Georges, *Le Chevalier, la Femme et le Prêtre*, Paris, Hachette, 1981.

Flandrin, Jean-Louis, *Les Amours paysannes (XVIe-XIXe siècle)*, Paris, Gallimard-Julliard, «Archives», 1976.

Foucault, Michel, *La Volonté de savoir*, Paris, Gallimard, 1876.

Goulemot, Jean-Marie, «Fureur utérine», in *Représentations de la vie sexuelle*, numéro spécial de *Dix-huitième siècle*, Paris, Garnier, 1980, n° 12.

Mallet-Joris, Françoise, *Jeanne Guyon*, Paris, Flammarion, 1978.

Solé, Jacques, *L'Amour en Occident à l'époque moderne*, Paris, Albin Michel, 1976.

Table

IMP. MAME, À TOURS
DÉPÔT LÉGAL MARS 1983. N° 6414 (9589)

EXTRAITS DU CATALOGUE